LE JOURNALISME
PROFESSION EN MUTATION

Le journalisme est une profession ancienne. Elle fait son apparition en France au début du XVIIe siècle avec Théophraste Renaudot, qui créa le premier journal. C'est également une profession jeune puisque, parmi les 36 500 personnes qui l'ont choisie aujourd'hui dans notre pays, la moitié a moins de quarante ans. C'est une profession qui ne cesse d'évoluer, tant les techniques qu'elle utilise se transforment, que ce soit dans l'écrit, la radio, la télévision ou les médias électroniques.

Il n'existe pas en fait UN journalisme, mais de nombreuses manières d'exercer ce métier. Fréquemment critiquée pou... ...ière de rendre co... ... actualité, suspecté... ...e pouvoir ou de ... ...l'indépendance... ...les tenants d'un ... ...sans médiateu... ...ssion journalistic... ...e très attractive. M... ...naître, sans tou...ir la prétention ...ire sur un univers ... telle est l'ambition de cet ouvrage.

Qu'est-ce qu'un journaliste ?

**Le personnage du journaliste est familier.
Chaque jour, nous l'écoutons ou
le regardons à la radio ou à la télévision.
Il peut arriver de le rencontrer lorsqu'il est
en reportage. Mais que fait-il exactement ?**

Collecter

Le journaliste doit d'abord identifier les faits*, c'est-à-dire percevoir dans le fil ininterrompu de la vie quotidienne ce qui mérite l'attention du public ou bien ce qui constitue un événement important dans le monde ou dans notre pays. Ce pourra être un accident, le résultat d'une rencontre sportive, une découverte scientifique, etc. Étant convaincu de l'intérêt d'un tel fait, le journaliste va alors collecter toutes les données et indications sur le sujet. Il peut le faire en interrogeant les témoins ou les protagonistes de l'événement, en recherchant tous les documents ou éléments matériels le concernant. Des photographies pour la presse écrite et les sites d'information Internet, l'enregistrement des témoignages pour la radio, le film du cadre et des protagonistes de l'action pour la télévision complètent ces données. La règle de base est de toujours rechercher des témoignages diversifiés, de ne jamais être dépendant d'une seule source* d'information.

Vérifier et interpréter

Le journaliste ne peut se contenter de livrer à l'état brut les différentes données qu'il a recueillies. Son travail est d'entreprendre un examen méticuleux de tous les éléments. Ils peuvent être contradictoires. Il faut alors rechercher ceux qui sont les plus crédibles, en les confrontant avec d'autres données à rechercher,

profession | vie publique | nouveautés

en fouillant dans une documentation, en faisant appel à la connaissance préalable du sujet. Une fois ces vérifications effectuées, il reste à tenter de restituer le fait vis-à-vis de considérations plus générales. Que nous apprend-il ? En quoi est-il en relation avec d'autres événements ? Que révèle-t-il sur le monde dans lequel nous vivons ? Risque-t-il d'avoir des répercussions pour l'avenir ? C'est la mise en perspective et l'interprétation. Parfois, le journaliste, surtout en presse écrite, peut être amené à tirer des conclusions plus générales à propos de l'information traitée, sous forme de commentaires.

> **Vigie**
> Pour être le témoin de son temps, le journaliste doit être curieux et formé à la compréhension du monde qui l'entoure. Il lui faut aussi être une vigie, capable d'alerter ses contemporains à ce qui émerge, se tend ou menace.

Mise en forme et transmission

Enfin intervient le mode de restitution de l'information au public. Cette opération fait intervenir un travail d'« écriture » qui doit toujours prendre en compte le type de lecteur, d'auditeur, de téléspectateur ou d'internaute auquel le journaliste s'adresse. Il faut être clair, précis, compréhensible, chasser toutes les ambiguïtés possibles. Il faut aussi savoir intéresser le public à l'information délivrée, susciter son attention. Pour cela, le mode de présentation est celui du récit. Le journaliste raconte toujours une histoire. Il met en œuvre des qualités de style qui rendent son récit agréable, qui sollicitent aussi bien l'intelligence que la sensibilité de son interlocuteur. Un équilibre doit s'instaurer entre l'aspect attractif, spectaculaire du récit et son sérieux. Ici intervient une notion de talent d'écriture, qu'il soit mis au service de la presse, de la radio, de la télévision ou d'un média électronique. La qualité de la mise en forme ne doit pourtant jamais l'emporter sur la rigueur de ce qui est présenté. Le journaliste n'écrit pas pour se faire plaisir.

> Le journaliste découvre ou choisit un fait qu'il juge intéressant, en réunit les différents éléments et les vérifie. Il analyse cet événement, l'interprète, puis le présente dans les termes adaptés à son public, qu'il s'agisse de presse écrite, audiovisuelle ou de médias électroniques.

Des activités très diverses

Il existe une image type du journalisme. Celle-ci se réfère à la mission générale de la profession. Mais elle recouvre la grande diversité des activités des journalistes au sein de leur rédaction.

Chacun son rythme

Quotidiens, magazines, radios, télévisions et médias électroniques ont chacun leur rythme, leur manière de traiter l'information, leur écriture. Le journaliste de magazine a davantage de temps et doit approfondir les sujets qu'il traite. Il se spécialise souvent. La télévision et surtout la radio sont dominées par la rapidité, l'information chaude*. Il faut travailler vite, savoir synthétiser toute l'actualité en une dizaine de sujets. Ces deux médias font du journalisme généraliste. Le journalisme dans un quotidien est également placé sous le signe de la rapidité. Il permet toutefois davantage d'approfondissement et un certain degré de spécialisation. Le journalisme Internet peut à la fois traiter l'« instantané » et travailler sur du temps long. Il doit souvent écrire court et synthétique, comme il peut concevoir et réaliser des dossiers développés intégrant actualité et documents divers.

Rédactions du web

Les effectifs des rédactions du web varient beaucoup. Les journalistes sont souvent des adaptateurs de contenus issus de médias partenaires ou de sources* externes. De plus en plus, il s'agit de développer une écriture de l'actualité combinant textes, sons, images vidéo, ainsi que d'animer des espaces d'interactivité comme les forums.

Rédaction ou terrain* ?

Les journalistes se divisent tout d'abord entre ceux qui vont chercher l'information et ceux qui la traitent au sein de la rédaction. Les reporters* constituent la figure type, souvent un peu obscure, du journaliste qui se rend sur place dès qu'un fait* paraît intéressant à relater. Son cousin, le grand reporter, est beaucoup plus connu, auréolé du prestige du danger et des grands événements

profession   vie publique   nouveautés

qu'il couvre sur toute la planète. Les radios et télévisions ont leurs propres envoyés spéciaux, qui, micro en main ou caméra sur l'épaule, interviennent rapidement sur les lieux de chaque crise grave. Ils étaient appelés autrefois correspondants de guerre. Dans les rédactions, des journalistes reprennent les textes, les sons ou les images. En presse écrite, le secrétaire de rédaction finalise la préparation des articles, les titres, la présentation. En radio et télévision, les présentateurs mettent en forme bulletins et journaux, assurant la relation au public.

L'influence des techniques

Les techniques utilisées dans les différents médias ont contribué à développer une division du travail entre les journalistes. En télévision, par exemple, une équipe de reportage est constituée d'un journaliste reporter d'image (JRI*), chargé de la caméra, et d'un rédacteur, préparant les commentaires. En presse écrite, l'illustration a donné naissance à des reporters-photographes et des journalistes illustrateurs, sans oublier les journalistes dessinateurs de presse et les journalistes-infographes*, capables de traduire l'information en schémas, graphiques, etc., créés à partir de l'ordinateur.

Les spécialités

De nombreuses spécialisations se sont fait jour dans le traitement de l'information. Certaines tiennent au domaine traité, d'autres correspondent à un genre journalistique pratiqué. Parmi les grandes spécialisations liées au type d'information traitée, on trouve les journalistes politiques, les journalistes sportifs, les journalistes économiques, les journalistes scientifiques. Chacun d'entre eux a une connaissance approfondie de son domaine, mais aussi des méthodes particulières pour le suivre. La spécialisation existe également entre des types d'écriture différents. Par exemple, la chronique est une critique régulière proposée par le même journaliste, et l'éditorial* est un commentaire sur un événement choisi par le journaliste qui l'écrit.

Les médias ont donné naissance à différents modes de traitement de l'information. Sur le terrain ou sédentaire, généraliste ou spécialisé, le journalisme est multiple.

Les chiffres clés de la profession

Quelques chiffres permettent de mieux connaître la profession journalistique. Ils donnent des précisions sur ses effectifs, la répartition entre les sexes, le niveau de formation, la proportion de journalistes dans chaque média.

Plus nombreux

Les journalistes sont aujourd'hui plus de 36 000. Leur effectif a surtout progressé dans la décennie 1980-1990, où leur nombre a augmenté de quelque 10 000 personnes. 1 500 à 2 000 nouveaux venus rejoignaient alors la profession chaque année. Cette évolution a provoqué un net rajeunissement. 50 % des journalistes ont aujourd'hui moins de 40 ans. Simultanément, la proportion des femmes a augmenté, atteignant désormais 39 %. Parmi les journalistes des magazines, il y a d'ailleurs autant de femmes que d'hommes. En revanche, l'encadrement reste plutôt masculin.

Mieux formés

82,3 % des journalistes ont aujourd'hui un diplôme de l'enseignement supérieur ; parmi les plus jeunes, la proportion dépasse 90 %. Bien que les sujets traités dans les médias soient très divers – techniques, politiques, scientifiques ou économiques –, la formation choisie dans les universités est littéraire au sens large (lettres, droit, sciences politiques, information-communication, etc.) à 72,6 %. Seulement 5,3 % des journalistes ont suivi une formation technique et 6,6 % une formation scientifique. La tendance à intégrer une école de journalisme est en progression, mais au total seulement 12 % des journalistes ont fréquenté l'une d'entre elles. Dans ces écoles, un peu plus de la moitié des élèves sont des femmes.

profession   vie publique   nouveautés

Surtout dans les magazines

Près d'un journaliste sur deux travaille aujourd'hui pour la presse périodique. Ce sont surtout les magazines spécialisés qui ont créé des emplois ces dernières années, les amenant à représenter 30 % de la profession. Viennent ensuite les quotidiens de province, avec 19,2 %. Les radios et télévisions, qui se sont multipliées dans les années 1980, emploient désormais 17 % des journalistes, soit une progression de plus de 3 %. Enfin, les grands perdants sont les quotidiens nationaux, qui ne représentent plus que 7,2 % des journalistes, alors que les médias électroniques ne regroupent que 0,3 % des détenteurs de la carte de presse. Le recours à des pigistes* (journalistes indépendants) est de plus en plus fréquent. Ils sont désormais 18,8 %, soit trois fois plus qu'il y a 25 ans : aujourd'hui près d'un journaliste sur cinq est pigiste. Il ne faut pas non plus sous-estimer un phénomène de chômage qui a nettement progressé au cours des dernières années (4 %).

Le mirage des gros salaires

Les salaires mirobolants de quelques stars de la télévision sont trompeurs. Dans l'ensemble, les journalistes ont des revenus équivalents à ceux des autres professions intellectuelles. La moyenne se situe à 2 600 euros brut par mois. Cependant, on constate des écarts assez sensibles, puisque dans la presse périodique locale, où les salaires sont les plus bas de la profession, la moyenne est de 1 650 euros. Les quotidiens nationaux sont en revanche plus généreux, avec 3 250 euros. Dans les télévisions nationales, de très grands écarts existent, avec 5,9 % de journalistes qui gagnent plus de 5 600 euros, alors qu'un journaliste sur six gagne moins de 2 300 euros. La différence entre les salaires des hommes et des femmes est partout sensible : la moyenne des salaires féminins est de 2 300 euros, contre 2 800 euros pour les hommes.

Paris-province
62 % des journalistes travaillent dans les rédactions parisiennes.

Les journalistes sont plus de 36 000. Ayant souvent suivi une formation supérieure, ils travaillent surtout dans les magazines, et les femmes sont de plus en plus nombreuses dans la profession.

La rédaction

Dans les entreprises d'information, les journalistes sont regroupés au sein des rédactions, structures particulières distinctes des autres secteurs de l'entreprise. Chaque média a progressivement développé un type particulier de rédaction.

Le modèle de référence

La rédaction d'un quotidien national constitue encore aujourd'hui l'organisation de référence. Ses effectifs sont souvent importants. Par exemple, *Le Monde* emploie plus de 300 journalistes, répartis en de nombreux services : international, politique, société, économie, culture, etc. Chacun est sous la responsabilité d'un chef de service. La rédaction dispose souvent de correspondants à l'étranger et dans les grandes villes de province. Elle est placée sous l'autorité d'un ou plusieurs rédacteurs en chef*, ayant éventuellement à leur tête un directeur de la rédaction. Les éditorialistes et chroniqueurs sont en général directement rattachés à la rédaction en chef. Lorsqu'un événement survient, la rédaction peut dépêcher un envoyé spécial sur place. Dans son travail au jour le jour, la rédaction s'appuie sur les dépêches* des agences* auxquelles elle est abonnée. Elle bénéficie également des éléments d'information fournis par son service de documentation et Internet.

Dans les quotidiens régionaux

Le quotidien régional compte en général des effectifs importants. La rédaction basée au siège regroupe des services légers. Mais ses structures (« bureaux ») sont décentralisées au niveau des départements et des villes moyennes ou petites. Les journalistes de terrain*, les

« localiers », collaborent avec de très nombreux correspondants, qui leur apportent la petite information de proximité mais qui n'ont pas le statut de journalistes.

Dans les magazines

Les magazines connaissent une grande diversité de situations selon leur périodicité. Les mensuels par exemple ont des rédactions souvent réduites à un rédacteur en chef et des secrétaires de rédaction*. La réalisation des articles est confiée à des pigistes. Dans les magazines, le directeur artistique joue un très grand rôle dans la conception du journal, tout comme les maquettistes.

> **Les « agences indépendantes »**
>
> Les journalistes spécialisés, comme ceux de télévision qui privilégient le grand reportage et le magazine peuvent se regrouper en agences indépendantes. Elles leur apportent des moyens et services communs qui leur feraient défaut en tant que pigistes.

Dans l'audiovisuel

Dans les radios et à la télévision, la taille des rédactions dépend de l'audience*, de la zone géographique couverte et du type de programme de la station ou de la chaîne. L'information peu spécialisée permet l'allègement des services. L'organisation correspond aux différentes éditions des bulletins radio et des journaux télévisés qui se succèdent. L'autorité d'ensemble est assurée par le directeur de la rédaction. Les rédacteurs en chef assurent le rôle de chef d'édition*. Les présentateurs des plus grands journaux ont souvent un statut de rédacteur en chef. Chaque radio et télévision dispose d'un service de reportage, des journalistes se déplaçant sur les lieux de l'actualité.

Dans les médias électroniques

Les rédactions des sites Internet d'information sont assez diversifiées et évolutives. Nombre d'entre elles travaillent l'information produite par les autres médias. Cependant, progressivement, de nouveaux contenus éditoriaux émergent. Les journalistes sortent peu. Ils sont très polyvalents. Avec le temps, ce mode d'organisation évoluera substantiellement.

> La rédaction, nombreuse dans les quotidiens nationaux, décentralisée dans les régionaux, fait appel à de nombreuses collaborations extérieures dans les magazines, et se montre très diversifiée dans l'audiovisuel.

La compétence des journalistes

Les connaissances des journalistes doivent sans cesse s'élargir. Traiter de sujets d'une extrême variété demande de se familiariser avec des disciplines très diverses.

Face à la crise des banlieues

En quelques heures, le drame de la mort de deux adolescents se transforme en explosion de violence. Quelle place donner à l'événement ? Comment l'interpréter ? Quels mots utiliser ? Mission impossible sans de solides bases, actualisées par les travaux des spécialistes de ces questions.

Plus large

La réalité traitée par le journaliste est toujours plus diverse. L'information est devenue multiforme et concerne la totalité des domaines de notre vie politique, sociale, économique. Dans le domaine politique, il ne suffit plus de rendre compte des idées et des comportements des personnalités ou des partis. Les dossiers traités sont devenus très techniques. Le journaliste, après en avoir compris les enjeux, les expose au public, met en perspective les principales options en présence. En économie, les mécanismes globaux, macro-économiques, de dimension planétaire, doivent être suivis tout autant que la vie financière, l'évolution et la santé des entreprises. Le journaliste doit prendre en compte que son lecteur ou son auditeur est lui aussi un acteur économique : consommateur, salarié, retraité, etc. Parmi les questions de société, la santé, l'éducation ou l'environnement sont appréhendés à la fois dans leur dimension générale et dans leurs répercussions sur la vie de chacun d'entre nous. C'est dire que le journaliste doit être un généraliste, doté d'une formation secondaire et universitaire solide.

Plus approfondie

Quel que soit le sujet abordé, y compris le plus

profession | vie publique | nouveautés

anodin des faits-divers ou le commentaire d'une performance sportive, le journaliste est conduit à lui consacrer un traitement qui fait intervenir des domaines de connaissance beaucoup plus larges. Des remarques sur la psychologie d'un délinquant sont inévitables, tout comme les considérations sur

son milieu, empruntées à la sociologie. L'évocation des conditions médicales, biologiques, voire psychiques d'un record en athlétisme est désormais banale. Que dire alors de domaines tels que la recherche médicale, la conquête de l'espace, la bioéthique, etc., qui par nature impliquent la compréhension des questions soulevées, surtout lorsque les chercheurs, les spécialistes de haut niveau sont divisés et polémiquent pour expliquer un phénomène. Le journaliste est alors plus qu'un généraliste, il doit acquérir des connaissances spécialisées dans les domaines où il n'a pas reçu d'enseignement.

Et toujours l'expérience

La formation initiale n'est que la base de la compétence du journaliste. La capacité d'appréciation, la faculté de jugement, qui sont nécessaires dans tout traitement de l'information, exigent également l'expérience individuelle et collective au sein des rédactions. Cette expérience s'acquiert au contact de milliers d'êtres, de groupes, de situations, de dossiers, qui laissent leur trace. Elle sera d'autant plus riche qu'elle sera accompagnée d'un solide appétit de connaître, d'une curiosité inépuisable. Car le journaliste peut trouver bien des opportunités d'enrichir sa compétence dans les lectures, la participation à des réunions, colloques, séminaires, ou simplement l'attention apportée aux êtres et aux choses.

La compétence du journaliste, diversifiée et toujours plus approfondie, est indissociable de l'expérience acquise dans sa vie professionnelle.

La formation

Les journalistes sont amenés à utiliser de nouveaux moyens techniques. Les écoles de journalisme permettent d'acquérir la maîtrise de ces techniques, mais leur enseignement est suivi par une minorité de journalistes.

L'apprentissage « sur le tas »

Longtemps, les journalistes n'imaginèrent pas que leur métier pouvait s'apprendre. Ils y accédaient en tant qu'hommes de lettres, militants politiques, avocats, etc. La formation s'opérait « sur le tas », assurée par celui qui avait pris la décision d'embaucher le nouveau venu. Lorsque le journalisme se professionnalisera, que la loi de 1935 le définira, il ne sera toujours pas question d'écoles ou de diplômes pour y accéder. En revanche, cette forme d'apprentissage se verra reconnue sous la forme d'un stage de deux ans à partir de l'embauche. Il en est de même en Grande-Bretagne, en Allemagne ou en Suisse, où l'on entre d'abord dans un média avec, dans certains cas, une formule de stage et de formation en alternance.

La place des écoles

Les écoles ne feront vraiment leur apparition en France qu'après la Seconde Guerre mondiale, même si la première d'entre elles date de la fin du XIXe siècle. Installées à Lille, Paris, Strasbourg, Bordeaux, Tours, Marseille, etc., elles ne forment néanmoins qu'une minorité de journalistes. Au départ, la vocation de ces établissements était de fournir en trois ans une solide culture générale et de familiariser les élèves avec les méthodes de l'enquête*, du reportage, de l'interview*. En France, beaucoup d'importance est accordée au style. L'apparition de la radio, puis de la télévision, n'a donné que très progressivement une certaine dimension technique à cette formation.

La maîtrise des techniques

Les techniques de chaque média se sont enrichies et se renouvellent. Il est donc nécessaire d'acquérir la maîtrise du micro-ordinateur, des logiciels de mise en page, de savoir utiliser les banques de données et les services Internet pour des recherches. L'utilisation du magnétophone et le montage radio, le maniement de la caméra et des moyens de transmission portables peuvent être également indispensables. Chaque média se pose la question de l'apprentissage de son écriture propre. Le journaliste radio apprend à « poser sa voix ». En télévision, il s'exerce à la présentation. Sur le web,

> **Formation en mouvement pour le journaliste web**
>
> Très tôt les écoles de journalisme ont proposé des formations au journalisme Internet. Maîtrise des outils (matériels et logiciels), connaissance des pratiques des utilisateurs, écriture, conception de services, attention aux innovations éditoriales sont autant de dimensions progressivement intégrées dans des approches évoluant au rythme de l'invention du média.

il participe à l'invention d'une combinatoire de textes, de graphiques, de documents audio et vidéo, à la conception à l'intérieur d'une architecture intégrant son propre service et l'ensemble des liens possibles sur la Toile. Pour tous ces apprentissages, la formation la plus rapide et la plus complète est celle des écoles qui disposent d'équipements modernes et de professeurs spécialistes reconnus de chacun des médias.

Après une formation universitaire

Le public est plus exigeant à l'égard de la qualité de l'information, car il est mieux formé. Le journaliste doit travailler sur ses sujets en sachant qu'une partie de son public les connaît mieux que lui. L'école de journalisme apprend la rigueur et les règles déontologiques* qui sont à observer dans la démarche de production de l'information. Elle dispense aujourd'hui un enseignement de un ou deux ans selon les cas, qui fait suite à une formation universitaire préalable. Elle propose une combinaison de formations générales, d'apprentissage des techniques de base et d'entraînement aux moyens techniques. Au cours de la scolarité, un ou plusieurs stages en entreprise sont organisés, et des journaux sont réalisés dans l'école.

> Une formation universitaire, puis l'apprentissage « sur le tas » ou le passage en école... De nombreux chemins mènent au journalisme.

Petite histoire du journalisme

Les premiers journalistes, au XVIIe siècle, sont soumis au pouvoir royal. Leur liberté d'expression s'affirme avec la Révolution. Les différentes facettes du journalisme moderne apparaissent tout au long du XIXe siècle.

Albert Londres

Né en 1884, il fait ses études à Lyon, où il envisage une carrière de poète et de dramaturge. C'est pour gagner sa vie qu'il entre comme journaliste dans un quotidien populaire parisien. Il sera l'un de ceux qui inventeront le métier de grand reporter à la française, sorte d'aristocrate du journalisme sillonnant le globe afin d'en rapporter les différents aspects à un large lectorat. Certaines de ses enquêtes sociales auront un grand retentissement, comme sa série sur le bagne de Cayenne, qui conduira à la fermeture de celui-ci. L'infatigable voyageur disparaîtra dans le naufrage d'un paquebot en 1932.

La naissance

Le journalisme fait son apparition en France avec la création de *La Gazette* par Théophraste Renaudot (1586-1653). Jusqu'à la Révolution, le journalisme sera très étroitement contrôlé par la censure* royale. Face à celle-ci, une autre forme très insolente mais clandestine de la profession, celle des nouvellistes, s'exprimera au travers de « libelles » très virulents à l'égard de la royauté. Avec la Révolution, qui affirme dans l'article 11 de la Déclaration des droits de l'homme la liberté d'expression, une multitude de journaux fleurit à Paris et en province. Des journalistes comme Camille Desmoulins (1760-1794) ou Marat (1743-1793), deviennent de véritables hommes publics, très influents.

Le combat pour les libertés

Le premier Empire, puis la Restauration, ramènent la censure et la contrainte politique pour les journalistes. Cette période ne prend fin qu'avec l'adoption d'une loi sur la liberté de la presse en 1881. À cette époque, des hommes comme Émile de Girardin (1806-1881) inventent un journalisme beaucoup plus diversifié, découvrant le fait divers, le reportage, l'enquête*, etc. Avec la IIIe République, la presse se renforce et attire à elle de nombreux écrivains, tels Honoré de Balzac, Guy de Maupassant et surtout Émile Zola. Ceux-ci collaborèrent largement aux journaux en leur proposant des feuilletons, mais en réalisant aussi de nombreux reportages, enquêtes sociales, critiques artistiques, chroniques,

profession   vie publique   nouveautés

éditoriaux*. Chacun se souvient du fameux « J'accuse »
de Zola, prenant la défense, à la une* de *L'Aurore*,
du capitaine Dreyfus, injustement accusé d'espionnage.

Éclatement des formes de journalisme

Le journalisme du début du siècle va progressivement
aborder les sports, la santé, les sciences, les grandes
découvertes techniques, telles l'aviation ou l'automobile, et surtout le monde, que les grands reporters*
vont apporter chaque jour au domicile des lecteurs les
plus modestes. Des journalistes inventent de nouvelles
écritures, mariant texte, dessin puis photographie
sur papier glacé. La diversité des magazines les oblige
à se spécialiser. Ils doivent être créatifs et saisir les tendances. L'arrivée de la radio puis de la télévision élargit
encore les manières de traiter l'information. En même
temps, le monopole de l'État, jusqu'aux années 1980,
repose sur le défi de l'indépendance des rédactions
du média devenu dominant.

Nouvelles fondations

La Seconde Guerre mondiale provoque un grand trau-
matisme : une partie des journalistes va collaborer avec
l'occupant allemand, alors que d'autres au contraire
résisteront dans une presse totalement clandestine, au
risque de leur vie. À la Libération, ce seront ces journalistes, Hubert Beuve-Méry (1902-1989), Albert Camus
(1913-1960), Pierre Lazareff (1907-1972) et bien d'autres,
qui se verront confier la renaissance de la presse, à
laquelle ils s'emploieront à redonner une dignité et une
indépendance qui lui avaient fait si cruellement défaut.

Théophraste Renaudot

Il fait ses études de médecine à Montpellier, puis travaille
dans l'entourage de Richelieu. Il crée la première
publication régulière, *La Gazette*, en 1631, étroitement
contrôlée par le pouvoir royal. Ses descendants
continueront à publier *La Gazette*, jouissant
d'un privilège d'« exclusivité à perpétuité ».

Né au
XVIIᵉ siècle,
le journalisme
lutte pour
sa liberté
d'expression
au XIXᵉ,
et établit son
professionna-
lisme au début
de notre siècle.

Le journalisme et les lois

La Déclaration des droits de l'homme et du citoyen a fourni le cadre général de la libre expression. Par la suite, plusieurs lois ont réaffirmé ce principe, défini le statut du journaliste et fixé certaines règles.

La liberté d'expression

« La libre communication des pensées et des opinions* est un des droits les plus précieux de l'homme ; tout citoyen peut donc parler, écrire, imprimer librement, sauf à répondre de l'abus de cette liberté dans les cas déterminés par la loi. »
Article 11 de la Déclaration des droits de l'homme et du citoyen de 1789.

Les principes

Le premier texte qui légitime et définit le cadre de l'activité du journaliste est l'article 11 de la Déclaration des droits de l'homme et du citoyen établie par la Révolution en 1789. Le principe de la liberté d'expression est affirmé, sa limite étant l'obligation pour celui qui en dispose de rendre compte de ses abus. De fait, la pleine jouissance de cette liberté sera éphémère, réduite à néant par la Terreur puis l'arrivée au pouvoir de Napoléon Bonaparte. Chaque période républicaine verra resurgir ce principe de liberté, immédiatement supprimé par la Restauration, puis le second Empire. L'instauration définitive de la République en 1871 va permettre de concrétiser la liberté d'expression par la loi du 29 juillet 1881.

Liberté et responsabilité

Il aura donc fallu dix ans pour que soit adoptée la grande loi sur la liberté de l'information, toujours en vigueur. Celle-ci affirme le principe général de la liberté d'informer. Elle précise la nature de la responsabilité pour toute information publiée. Celle-ci revient d'abord au directeur de la publication, puis au journaliste, considéré comme complice des éventuelles infractions. Ces dernières sont principalement l'injure (propos délibérément blessant sans contenu informatif), la diffamation* (information, même juste, qui peut porter préjudice à une personne), la fausse nouvelle (seulement celle qui concerne la sécurité de l'État).

profession   vie publique   nouveautés

Le statut du journaliste

Le troisième grand texte concernant directement le journalisme est voté le 29 mars 1935 et porte le nom de loi Brachard. Il définit qui est journaliste et institue la « carte de presse » dont sont détenteurs tous ceux qui exercent cette activité en tant que professionnels. Une commission de journalistes et de dirigeants de médias attribue chaque année les cartes de presse. Il lui revient d'apprécier les critères du journalisme à l'arrivée de chaque nouveau média, comme ce fut le cas pour le web au cours de la dernière décennie. La loi institue un stage de un ou deux ans, selon sa formation, à tout nouvel entrant dans la profession. Les journalistes se voient reconnaître deux dispositions particulières : la clause de cession et la clause de conscience, qui permettent à un journaliste de quitter son média si celui-ci est vendu ou change d'orientation éditoriale. Celui qui invoque l'une de ces clauses légitimement peut alors bénéficier d'une indemnisation.

> **La charte de Munich**
>
> Les Fédérations de journalistes de la Communauté européenne (plus la Suisse et l'Autriche) ont signé en 1971 la charte de Munich, sorte de Déclaration des devoirs et des droits des journalistes, largement inspirée des textes français.

Encadrement des libertés

Outre ces trois grands textes, le journalisme est concerné par une série de lois visant à protéger la vie privée, la dignité ou l'image des personnes (qui peuvent refuser de la voir publiée ou diffusée), ou encore les mineurs. Des dispositions plus récentes visent à interdire certaines prises de position, c'est le cas de la dénégation de l'Holocauste ou le fait de proférer des propos racistes. Des textes précisent les conditions selon lesquelles doivent être traitées les affaires de justice : secret de l'instruction, respect de la présomption d'innocence. Les journalistes français ne peuvent toujours pas invoquer un véritable secret professionnel. La loi ne saurait entrer dans le détail de l'ensemble des règles que s'appliquent les journalistes, celles-ci relevant de la déontologie* professionnelle.

> La Déclaration des droits de l'homme et du citoyen en 1789, les lois de 1881 et 1935 ont posé les principes de l'exercice de la profession de journaliste.

Le journalisme
dans le débat démocratique

Le journalisme met en scène le débat d'idées. Il doit avoir un regard critique, rechercher les faits et les informations cachés. Il donne ainsi au citoyen des moyens pour exercer son contrôle sur la vie de la cité.

Déficit d'Europe

Parlement, Commission, Conseil des ministres, Cour de justice... européens régissent toujours plus notre quotidien. Il revient aux journalistes de l'expliquer aux Français, ce qu'ils font trop peu. La remise en cause de leur rôle lors du référendum sur la Constitution européenne montre qu'il y a urgence.

Au cœur du débat d'idées

La Révolution fut le premier grand moment de liberté des journalistes. Ils prirent toute leur part dans le débat d'idées, certains le payant de leur vie. Avec le retour de la monarchie et les périodes d'Empire, ils ne cessèrent de lutter pour le rétablissement d'une indépendance qui n'interviendra vraiment qu'avec l'arrivée de la IIIe République et la loi de 1881. Depuis lors, les seuls moments de limitation de l'indépendance des journalistes seront les périodes noires de l'histoire de ce siècle : la Première Guerre mondiale, puis l'occupation allemande de 1940 à 1944 durant la Seconde Guerre mondiale.

Transparence de la vie publique

L'idée même de démocratie suppose l'existence d'un débat d'idées, de conceptions, de projets, de personnalités... Ce débat passe toujours davantage par l'entremise des médias et l'intervention des journalistes. Ceux-ci permettent de faire connaître les différentes positions et de les mettre en perspective vis-à-vis de celles des partis, syndicats et mouvements de pensée. Le journalisme, dans sa fonction de transparence et de stimulation du débat démocratique, doit également confronter les faits*, les événements, les résultats acquis, avec les discours officiels des différents acteurs politiques, ceux qui

profession   vie publique   nouveautés

sont au pouvoir comme ceux qui se situent dans l'opposition. Au-delà des résultats se pose également la question des comportements, des formes d'action des hommes politiques et des institutions qui assurent le pouvoir ou une part de celui-ci. Leurs actions sont-elles conformes aux engagements pris, aux discours tenus, aux règles en vigueur... ? C'est la fonction critique.

Pas d'exclusion

L'action des grands acteurs politiques sur le devant de la scène publique tend à masquer nombre de phénomènes, de groupes, d'opinions* marginalisés, qui ont du mal à se faire connaître. Il est du rôle des journalistes de les repérer, de se porter à leur rencontre et d'expliquer leurs préoccupations, même si celles-ci peuvent paraître très minoritaires. Il existe, de ce point de vue, une sorte de responsabilité du journalisme afin d'éviter que des courants de pensée, des composantes sociales, se trouvent exclus du débat public.

La fonction critique

En tout état de cause, bien que les journaux aient été longtemps les « porte-parole » de partis, d'églises ou d'écoles de pensée, il n'empêche que, collectivement, le journalisme se doit d'être un lieu de recul et de mise à distance vis-à-vis des protagonistes de la vie publique. Cela n'est pas simple au quotidien. Car les journalistes qui côtoient les responsables à longueur de conférences de presse, de meetings, sans oublier les déjeuners et les voyages officiels, sont menacés par le risque de la connivence, de la complaisance ou d'une trop grande adhésion à la manière de voir des dirigeants. Il revient pourtant au journaliste d'exercer ce rôle de critique des idées et des actes, qui constitue un contre-pouvoir, au service du public, en l'occurrence, dans une démocratie, au service du citoyen.

Financement des partis politiques

La France se croyait à l'abri de la corruption politique. Ce seront des journalistes qui, en sortant ou en relayant des affaires instruites par des magistrats, ouvriront les yeux de l'opinion sur des marchés publics truqués, des commissions occultes ou des fausses factures. Plusieurs lois seront nécessaires pour clarifier le financement des partis.

Valoriser le débat d'idées, permettre la transparence, exercer une fonction critique, tels sont les rôles du journaliste en démocratie.

Le journalisme d'investigation

Un ministre doit reconnaître les pratiques occultes de ses services, des chefs d'entreprise se trouvent dénoncés pour des méthodes déloyales, etc. Autant d'« affaires » mises au jour par le journalisme d'investigation.

Dérapages dans « l'affaire de Toulouse »

Meurtres maquillés en suicides, rumeurs sur des personnalités toulousaines, déclaration du président du CSA au *20 Heures* de TF1, et la machine médiatique s'emballe. Trop rapidement conduite, l'investigation multiplie les révélations sur des hommes, finalement blanchis par la justice, mais qui resteront des « blessés de l'information ».

L'enquête

Dans son rôle de contre-pouvoir, le journaliste est porté à vérifier que la réalité est telle que les discours officiels le prétendent. Dès qu'un phénomène paraît peu clair, un acte suspect, il y a matière à engager une enquête*. C'est-à-dire qu'il ne s'agit plus d'aller simplement recueillir les propos de quelques protagonistes, comme dans le reportage, mais de mettre au point une recherche d'éléments variés, témoignages, documents, repérages, indices divers, qui permettent de trouver ce qui a été délibérément caché. L'enquête demande du temps, de la méthode et de l'expérience. Au fil des jours et des semaines, le journaliste, qui travaille dans la discrétion, pourra voir son travail réorienté par des éléments nouveaux que lui révèlent un dossier, un propos obtenu d'un témoin. À chaque pas, il doit recouper les différents éléments et les vérifier, afin d'éviter les pièges de la manipulation.

Rebondissements

Une enquête débouchant sur des révélations importantes ne se résumera pas à la publication d'un article. Le journaliste, qui a le sentiment de tenir une version des faits* suffisamment solide, rédige un premier papier*. La plupart du temps, sa publication entraîne immédiatement des réactions qui font rebondir l'enquête. Ce sont des documents nouveaux qui lui parviennent, des témoins non connus qui s'expriment, des personnes mises en cause qui

profession   vie publique   nouveautés

se défendent, livrant souvent des aspects de l'affaire non encore abordés. Dans chaque cas, il faut donc vérifier, suivre de nouvelles pistes et communiquer régulièrement au public, par des articles, l'état d'avancement du dossier. Si le sujet est fort et le public intéressé, l'enquête se poursuit, relancée bien souvent par d'autres équipes concurrentes de journalistes, qui multiplient les chances d'aller plus loin dans la découverte d'éléments nouveaux. Les risques de manipulation deviennent également plus importants.

Les règles et leurs limites

Le journaliste d'investigation* est donc celui qui se doit d'aller voir « ce qu'il y a de l'autre côté du miroir ». Peut-il employer n'importe quels moyens pour cela ? En réalité, non. Il doit d'abord toujours faire attention à ne pas se prendre pour le policier ou le magistrat, tout en évitant de se faire manipuler. Il n'est pas non plus un chasseur qui s'acharnerait sur sa proie. En France, il est convenu que tout ce qui concerne la vie privée et qui n'a pas un rapport direct avec une affaire publique doit être gardé secret. En principe, le journaliste doit également se garder de voler des documents ou des éléments de preuve. Il ne les achète pas non plus, pas plus que les révélations de témoins. Il évite également de se faire passer pour un autre, cachant son statut de journaliste. Certaines affaires très importantes et délicates obligent parfois de passer outre certaines de ces règles. C'est l'éthique* du journaliste qui doit lui dicter sa conduite, sachant que l'intérêt public est la justification de ses actes.

Scandale de l'ARC

Sa cause, la lutte contre le cancer, est des plus nobles ; pourtant les dirigeants de l'ARC ont dérapé et détourné l'argent des dons. D'abord sceptiques, les lecteurs de la presse apprennent, jour après jour, les mécanismes et l'ampleur de l'escroquerie. Les dirigeants malhonnêtes seront jugés et condamnés.

> Le journalisme d'investigation découvre, enquête, cherche et révèle la face cachée du monde.

Une fenêtre sur le monde

Le débat public se nourrit aujourd'hui largement des événements internationaux. Un journalisme particulier a pour vocation de permettre d'enrichir notre information : c'est celui pratiqué par les agences.

Les trois grandes agences

Chaque jour, au fil des nouvelles, nous découvrons des événements issus de toute la planète. Bien souvent, moins d'une heure sépare le déroulement d'un fait* fort éloigné et sa diffusion sur l'un de nos médias. Aucun n'a les moyens d'assurer une telle finesse de couverture de l'ensemble des pays ni un traitement et une diffusion aussi rapides. Cette large ouverture sur le monde, qui nous permet de nous situer, de remettre en perspective notre quotidien proche, est fournie par trois grandes agences internationales. La plus ancienne, Havas, créée en 1830, est française. Elle s'appelle aujourd'hui l'AFP (Agence France Presse). Sa cadette, apparue également au XIXᵉ siècle, est britannique et s'appelle Reuter. La troisième, AP (Associated Press), est nord-américaine. L'ensemble des médias du monde bénéficie de la couverture de l'information internationale grâce à un abonnement à l'une ou à plusieurs d'entre elles.

1 250 journalistes

Une agence d'information internationale comme l'AFP est une énorme rédaction qui emploie 1 250 journalistes et photographes permanents. Ceux-ci sont répartis dans quelque 128 bureaux couvrant 165 pays. Dès qu'un événement survient, un ou plusieurs journalistes « correspondants » de l'agence se rendent sur place, interrogent, observent, vérifient. Ils rédigent immédiatement un article très synthétique, comprenant le

Agences photographiques

De grandes agences internationales fournissent également des photographies d'actualité et d'information générale : Magnum (la première du genre), AFP Photo, Associated Press, Gamma, Sipa Press, Corbis, Vu, etc.

profession | vie publique | nouveautés

maximum de détails, appelé dépêche*. Celle-ci est instantanément transmise au siège parisien par l'intermédiaire d'un satellite. À Paris, un autre journaliste spécialiste de cette région du monde, appartenant au service appelé « desk », relit l'article, vérifie certains éléments, le corrige et l'envoie sur un service (dit « fil ») relié aux ordinateurs des journalistes de chaque média client. Dans la rédaction cliente, la dépêche peut être reprise intégralement ou modifiée avant diffusion. Chaque journaliste d'agence sera tour à tour, durant sa carrière, correspondant dans différents pays ou employé au « desk » à Paris.

Textes, images, sons...

L'évolution technique des moyens de transmission a progressivement permis aux agences de proposer également des abonnements pour la photographie, la radio, les infographies*, la vidéo, les services multimédias. Une bataille décisive se livre, aujourd'hui, à propos des images de télévision, Reuter et AP proposant un tel service. L'AFP n'a pas encore réuni les moyens financiers, techniques et humains pour atteindre un niveau comparable. La dernière guerre d'Irak en 2003 a permis de prendre la mesure de l'omniprésence des images des deux agences anglo-saxonnes sur nos écrans de télévision. Dans ce domaine, les agences sont en concurrence, avec, d'un côté, une formule de bourse d'échange des images des télévisions nationales (les EVN) et, de l'autre, la puissance des chaînes d'information en continu telles que CNN, Fox News ou Al Jazeera. De l'issue de cette compétition découleront largement la richesse et la fiabilité de l'information sur le monde proposée demain par nos télévisions. Il est important que notre vision internationale soit nourrie de sources* pluralistes, de regards divers, qui se complètent. C'est cette préoccupation qui conduit l'État en France à soutenir l'AFP par une aide financière votée chaque année par le Parlement.

> Les agences d'information fournissent aux médias les informations en provenance du monde entier.

L'indépendance du journaliste

**L'indépendance du journalisme
fait la qualité de l'information.
Celle-ci doit s'imposer face à la version
des faits des acteurs de l'actualité,
face aux annonceurs* comme
face aux goûts du public.**

Liberté d'expression

A priori, le journalisme s'est toujours voulu libre
et indépendant. Dans les faits, cette indépendance
sera l'objet de bien des combats tout au long du
XIXe siècle en France. Il n'est d'ailleurs pas possible
d'imaginer que l'indépendance du journalisme soit
gagnée une fois pour toutes. Il s'agit d'une préoccupation de chaque jour pour chaque journaliste,
pour les rédactions et finalement les sociétés démo-
cratiques. Le sens donné à l'indépendance du journalisme a évolué. Durant la Révolution française
et presque jusqu'à la Seconde Guerre mondiale, indépendance signifiait liberté d'expression du journaliste.
Progressivement, pourtant, cette conception va laisser
la place à une vision selon laquelle le journaliste doit
être capable de recul, de discussion de tous les points
de vue, sans être lié à de quelconques intérêts ou
tutelles. L'indépendance n'est d'ailleurs pas un privilège personnel du journaliste, elle n'a de valeur que
mise au service des citoyens, du public dans son
ensemble.

Distance

Traditionnellement, la question de l'indépendance
du journalisme se trouve posée vis-à-vis de ce qu'il
est convenu d'appeler les sources*, c'est-à-dire
l'ensemble des acteurs, protagonistes de l'actualité,
institutions, etc., qui peuvent délivrer au journaliste
leur vision d'un événement ou d'une situation.

**Ligne
infranchissable**

La presse
américaine reçoit
jusqu'à 80 %
de ses recettes
de la publicité.
C'est sans doute
ce qui a conduit
à définir des règles
strictes de
séparation entre
la rédaction
et les services
publicitaires
et commerciaux.
Les journalistes
parlent de « ligne
infranchissable ».

profession   vie publique   nouveautés

Ces sources sont rarement désintéressées dans leur rapport au journaliste. Elles souhaitent que celui-ci livre leur version des faits*, leur conception des choses. Longtemps le pouvoir politique a pu ainsi contraindre les journalistes à se conformer à son point de vue. Puis ce furent de multiples partis, groupes de pensée, institutions qui firent en sorte d'avoir parmi les médias leurs porte-voix. Aujourd'hui,

> **Audimat**
>
> Pour évaluer l'audience de la télévision, c'est-à-dire le nombre de personnes regardant chaque chaîne de télévision, un petit appareil, l'audimètre, est connecté aux téléviseurs d'un échantillon de foyers représentatif de la société française. Il enregistre à chaque minute les programmes regardés.

en principe, le journaliste a les moyens de son indépendance, pour peu qu'il s'impose de croiser les sources, de vérifier. Que celles-ci soient des personnalités, des associations, ou des artistes, la même exigence doit prévaloir.

Annonceurs et public

Aujourd'hui, les pressions sont davantage économiques. Elles peuvent émaner de ceux qui financent en partie le média, c'est-à-dire les annonceurs, qui lui confient leurs publicités. Ceux-ci peuvent tenter d'éviter toute prise de position allant à l'encontre de leurs intérêts. Ils peuvent aussi essayer de convaincre les journalistes de choisir des informations qui les présentent sous un jour favorable. Les médias modernes sont bien souvent la propriété de financiers et de groupes industriels qui souhaitent que les journalistes proposent une information qui contribue à donner d'eux une bonne image. Au minimum, ils attendent que les journalistes n'insistent pas sur des questions délicates pour eux. Les médias commerciaux ont également besoin d'un public nombreux, ce qu'en télévision on appelle la « dictature de l'audimat ». Là aussi, pour assurer une audience* maximum, les journalistes peuvent être tentés de choisir uniquement les sujets que le public apprécie. L'indépendance peut au contraire conduire à traiter des questions gênantes ou ennuyeuses pour le public.

> Pour demeurer indépendant, le journaliste doit refuser tout lien avec des intérêts politiques ou financiers et ne pas sélectionner l'information en fonction de son audience auprès du public.

Pouvoir et journalisme

L'information est devenue l'une des dimensions du pouvoir. Les journalistes qui la produisent sont perçus comme en étant les détenteurs. Ils ont pourtant plutôt vocation à être un contre-pouvoir.

Influence

La place des médias dans nos sociétés, leur influence présumée sur les destins des personnalités politiques, le renom d'un artiste, la sensibilité à une grande cause humanitaire conduisent à parler du pouvoir des journalistes. Ils choisissent effectivement de faire venir au journal télévisé l'homme politique qui souhaite s'exprimer sur un grand problème. Ils peuvent projeter sous les projecteurs de l'actualité l'anonyme concerné par un fait divers, bousculant bien souvent ses relations avec son voisinage, sa carrière professionnelle. Dans des moments critiques de l'histoire, ils peuvent tout à coup, comme lors de la guerre du Golfe, réunir sur le même écran le président des États-Unis, celui de l'ex-URSS et celui d'Irak, à la veille du déclenchement des hostilités. Certains journalistes croient d'ailleurs dans leur capacité à influencer le cours des choses, comme ces présentateurs qui diront à peu près de la même manière, sans s'être concertés, qu'avec les moyens d'information modernes jamais Hitler n'aurait pu prendre le pouvoir en Allemagne et provoquer la Seconde Guerre mondiale.

Journées de juillet

Juillet 1830 : se sachant menacés d'interdiction, les journaux parisiens appellent le peuple à se soulever. Le lendemain, les insurgés envahissent les rues et dressent des barricades. C'est la deuxième révolution. Elle renverse le roi Charles X, démontrant ainsi le pouvoir des journalistes.

---

profession | vie publique | nouveautés

Puissance

Dans un contexte où les journalistes tendent à pécher par excès de connivence avec les puissants à force de les fréquenter au jour le jour, partageant leurs analyses, les voix sont nombreuses pour s'insurger contre leur excès de pouvoir. Souvent considérés comme le « quatrième pouvoir », face à l'exécutif (gouvernement), le législatif (parlement) et le judiciaire (juges et tribunaux), les médias seraient devenus LE pouvoir. Une telle vision est exagérée. Elle confond surtout la puissance des moyens techniques dont disposent les journalistes et une réelle capacité d'initiative, d'imposer un projet, une vision des choses. Or les journalistes ne sont pas une force unifiée. Ils n'ont aucun projet commun significatif de leur pouvoir.

Contre-pouvoir

La vocation du journalisme est plutôt de constituer un contre-pouvoir. C'est-à-dire que, face aux pouvoirs, il se doit d'exercer un sens critique, de manifester un contrôle. Le citoyen pourra alors mieux appréhender la façon dont les élus, les administrations, les institutions, les forces économiques, les mouvements de pensée jouent leur rôle et assument leurs responsabilités. Étant donné leur capacité à être présents dans tous les foyers, chaque jour, les médias et les journalistes sont des enjeux de pouvoir pour tous ceux qui entendent diriger le pays, les entreprises ou le monde des arts. Les journalistes peuvent être tentés de devenir les relais des différents pouvoirs. Mais ils doivent s'interdire d'accepter un tel rôle, qui leur donnerait le sentiment de partager le pouvoir. Leur force au contraire est d'être les représentants des citoyens. C'est seulement ainsi qu'ils pourront s'affirmer comme exerçant un authentique contre-pouvoir. Ce n'est pas leur talent, leur séduction, l'élégance de leur style qui leur permet de jouer ce rôle, mais plutôt une opiniâtre volonté d'enquêter, d'interroger, de mettre en doute.

> Disposant de moyens techniques puissants et réputé exercer une influence, le journalisme se situe au centre d'un débat sur le pouvoir.

Le journalisme local

Le journalisme local apporte les moyens pratiques et symboliques de nous situer dans nos territoires de vie et de travail. C'est une activité prenante, de contact, qui exige rigueur et vigilance.

Un lien avec notre territoire

Chacun d'entre nous dans son village, son quartier..., ressent le besoin pratique de renseignements utiles ainsi que d'éléments symboliques qui permettent de se sentir chez soi sur un territoire, dans une communauté. Et cela d'autant plus que la plupart de nos concitoyens doivent rompre souvent avec leurs racines, au gré de déménagements successifs. Le journalisme local est celui qui, en priorité, apporte ces moyens de vivre et de s'insérer dans un territoire de vie et de travail. Pour cela, il doit être lui-même totalement immergé dans un lieu. La majorité des localiers appartiennent à la presse hebdomadaire ou quotidienne de proximité. Quelques-uns travaillent dans les radios et quelques télévisions de proximité. Ils sont souvent jeunes, issus d'écoles de journalisme ou d'une université voisine. Leur domaine ne connaît d'autres limites que celles de la zone qu'ils sont chargés de traiter. Ce sont des généralistes complets.

De longues journées

Le matin, le localier rencontre ses partenaires, les correspondants, qui en plus de leur métier collectent une foule de petits faits*, comptes rendus de réunions, résultats de matchs... Il rassemble leurs informations et leur confie de nouvelles missions. Il vérifie l'« agenda » qui annonce manifestations, cérémonies, rencontres, etc., et se renseigne aussi auprès des hôpitaux, services de police, administrations, afin de connaître les faits divers. S'il dispose d'un peu de temps, le localier réalise un reportage sur un sujet d'actualité urgent. Il se consacrera aux autres plus tard dans l'après-midi ou en soirée. Sa priorité est de corriger les papiers* des correspondants et de rédiger ses propres articles (de cinq à dix par jour) pour remplir la ou les pages dont il est chargé. Il écrit directement sur son portable* (micro-ordinateur), prépare ses titres, la présentation... Il doit tout avoir transféré vers l'ordinateur de son journal pour une heure précise, de 14 à 16 heures selon le journal. Si un événement important survient, il peut très vite enquêter* sur place, rédiger un court article qui sera repris dans le journal, parfois jusqu'à 23 heures-minuit.

Un contact permanent

Le journalisme local, très prenant, est également une activité de contact direct, permanent, avec les lecteurs et les acteurs de la vie locale, qui sont souvent les mêmes. Il en découle deux questions sensibles : le localier doit être particulièrement vigilant et rigoureux pour toutes les questions qui ont trait à la vie privée des personnes. Une erreur, une maladresse, une indiscrétion inutile peuvent blesser, voire briser des vies professionnelles ou mettre au ban d'une communauté. Le contact au jour le jour fait également courir le risque de multiples pressions d'élus, de responsables économiques, associatifs, qui souhaitent que le journal diffuse leurs positions ou qui refusent qu'on parle d'un problème qui les concerne. Il n'est pas facile d'être indépendant lorsqu'on est localier, encore moins d'être critique.

> Au contact permanent de la population, généraliste, disponible et attentif au moindre événement survenant dans sa zone, le journaliste local doit allier rigueur et vigilance.

Les localiers

Près d'un journaliste sur cinq, aujourd'hui, est immergé dans les petites villes ou les quartiers. Appelé localier, il est basé dans un bureau avec deux ou trois collègues. Et de plus en plus souvent seul, c'est alors un détaché.

L'explication du monde

Le journaliste spécialisé, à partir des connaissances qu'il a acquises dans son domaine, nous explique la réalité et le monde dans lequel nous vivons.

Pédagogie du quotidien

Appréhender notre monde, la réalité qui nous entoure, comprendre les principaux phénomènes auxquels nous avons affaire dans notre quotidien ne saurait passer que par le débat d'idées ou une chronique fidèle des faits*. Nous avons envie de comprendre, que l'on nous explique les choses. Pour chaque grand secteur une spécialisation journalistique s'est progressivement constituée. Il existe des journalistes médicaux, des journalistes scientifiques, des journalistes culturels, des journalistes économiques, etc. Cette forme de journalisme conduit à suivre en permanence un secteur, à connaître les principaux intervenants de celui-ci, les institutions et règles qui sont les siennes et, donc, à être capable de le traiter avec compétence tout en faisant preuve de qualités pédagogiques. Cette exigence particulière de connaissance de domaines souvent complexes amène à faire entrer dans le journalisme des hommes et des femmes qui ont acquis les formations propres à ceux-ci ou qui ont exercé certains métiers. Ici un médecin, là un ancien champion sportif ou un ingénieur agronome.

Des spécialistes pour chaque domaine

Le journaliste spécialisé est tout d'abord présent dans chaque grande discipline de connaissance : sciences, techniques, philosophie, etc. Il devient le premier vulgarisateur des découvertes et des controverses entre les scientifiques. Il existe également des spécialisations

profession　　vie publique　　nouveautés

pour chaque grand secteur professionnel (industrie, commerce, agriculture, etc.). Nombre de spécialisations concernent des domaines de la vie pratique (loisirs, mode, beauté, bricolage, décoration, etc.). Dans ces deux cas, la compétence repose davantage sur la connaissance des savoir-faire, des grandes tendances, des structures, des modes, des valeurs propres à un secteur. La spécialisation peut enfin coïncider avec des activités ludiques, des violons d'Ingres comme le sport, des passions de collectionneur, des pratiques culturelles… Le journaliste doit maîtriser totalement les règles, les codes, les valeurs des univers en question.

Impératif de fiabilité

L'information spécialisée n'exclut pas, par principe, toute possibilité de critique ou d'évocation de contradictions et polémiques dans les domaines traités. L'exigence à l'égard du journaliste porte surtout sur d'autres priorités : la connaissance du sujet, la manière de l'expliquer et de le rendre compréhensible, même s'il est très complexe. Ces impératifs ne sont pas les seules contraintes du journaliste spécialisé. Obligé de s'immerger davantage, d'entretenir des relations suivies avec l'ensemble des intervenants d'un secteur afin d'en obtenir les données les plus récentes et les plus techniques, de partager en fait un certain nombre de convictions communes au public et aux sources* d'information, ces journalistes peuvent avoir une marge d'autonomie extrêmement étroite. Il est souvent bien difficile d'aller à contre-courant des consensus, surtout lorsque le média reçoit des publicités pour des produits qui en bénéficient.

Connaissance approfondie d'un domaine, proximité des sources, rigueur et pédagogie sont les qualités du journaliste spécialisé.

Journalisme audiovisuel et lien social

Le journalisme de radio et de télévision s'adresse à chaque personne, individuellement, et lui propose une relation immédiate, directe, avec le monde dans sa globalité. Il contribue ainsi directement au lien social.

Faire simple

Le journalisme de radio et de télévision est souvent la cible des critiques de ses confrères de l'écrit, qui lui reprochent sa superficialité, son schématisme, l'obligation de ne proposer qu'une information extrêmement synthétique. Impossible dans ces conditions d'enquêter*, d'aborder des dossiers complexes, d'entrer dans des débats de fond. L'essentiel des sujets proposés dans les bulletins radio et journaux télévisés est tiré des dépêches* d'agence* et illustré de sons et d'images obtenus par les reporters* de la rédaction, achetés à l'extérieur ou en provenance des archives. Est-ce à dire que l'audiovisuel est pratiqué par des sous-journalistes, ou que les journalistes qui y exercent manquent d'exigence, de profondeur, de rigueur... ? Il faut plutôt accepter que la fonction de l'information soit dans ce cas différente, largement dominée par une relation très personnalisée entre chaque auditeur ou téléspectateur et les journalistes audiovisuels qui acquièrent une célébrité ponctuelle.

L'audiovisuel

Ce journalisme récent invente sous nos yeux ses formes et son rôle. Ceux-ci ne sont pas toujours bien compris ou acceptés, surtout pour les tenants d'un journalisme de débat et de critique.

---

profession   vie publique   nouveautés

En une quinzaine de sujets

La comparaison entre les journaux radio et télévision montre que les sujets traités sont pour l'essentiel semblables. Chaque rédaction en ajoute un, en retranche un autre, modifie leur hiérarchie, s'emploie à les illustrer de la meilleure manière. Ce soin mis à sélectionner la quinzaine ou la vingtaine de sujets qui vont être entendus ou vus par tous, compris par le plus grand nombre, pourrait bien constituer l'essentiel de la vocation du journalisme audiovisuel. Il n'est pas anodin de proposer chaque jour un ensemble de données, de faits*, de points de repère, de représentations qui seront ensuite partagés par toute une société et alimenteront les conversations et le sentiment d'appartenir à une communauté. Cette forme de journalisme participe au tissage d'un « lien social » qui passe désormais largement par les médias de masse.

Notre lien aux autres

Chacun d'entre nous ressent son isolement personnel. La famille est réduite, parfois à un seul parent. Le voisinage est anonyme, les grandes formes d'organisation que sont les Églises, les syndicats, les partis, voire les associations, n'intéressent plus qu'une partie de la population. Il existe donc un problème de relation au jour le jour entre l'individu, atomisé, et la société, le monde dans lequel il évolue, à la fois proche et lointain. Il s'agit surtout d'une relation symbolique, sensible, directement perceptible. Le journalisme audiovisuel permet à chacun d'effectuer ce va-et-vient de l'individu au groupe, à la globalité du monde. Il s'adresse à chacun en tant que personne, au travers d'un langage accessible, en exerçant une forme de séduction bienveillante. Il privilégie des sujets et thèmes qui peuvent donner lieu à consensus, de même qu'à des sons et images suffisamment spectaculaires pour susciter des émotions partagées. Est-ce illégitime ? Plus que jamais, le journaliste est médiateur.

> Le journaliste audiovisuel est généraliste, synthétique, sensitif, en relation directe avec le public.

Le présentateur

Le présentateur est la figure phare du journalisme en radio-télévision. Ses qualités sont très personnalisées. Ce sont elles qui séduisent le public. Mais la notoriété a un prix et exige une vigilance constante du journaliste.

Familier

Le présentateur est LE journaliste pour nombre d'auditeurs et de téléspectateurs, qui ont le sentiment de bien le connaître. Il est vrai qu'ils le retrouvent chaque jour, habitués à ses mimiques, ses phrases, son humour... La confiance qu'ils ont dans l'information tient largement au sentiment de sincérité et de vérité que le présentateur sait ou non communiquer. Durant quelques années, les présentateurs de télévision étaient devenus de véritables stars, connues et reconnues partout. La multiplication des chaînes d'information en continu a quelque peu « démocratisé » la fonction. Il s'agit d'un type paradoxal de journalisme. Issu de la rédaction, souvent ancien reporter* ou spécialiste d'un secteur, le présentateur ne va plus sur le terrain*. Il n'enquête* plus, il ne lui revient plus de débusquer des affaires ou des secrets bien gardés. Ce n'est pas non plus un analyste hors pair, sachant dégager en quelques phrases le sens d'un événement. Est-ce pour cela que le présentateur est en butte aux critiques, accusé de courir après les paillettes, envié pour la célébrité dont il jouit, alors que celle-ci n'a rien à voir avec les valeurs fondamentales de la profession.

La guerre d'Irak, mars 2003

Janvier 1990 : « *Les Américains bombardent Bagdad !* » Dans chaque rédaction de télévision, le présentateur prend l'antenne, appelle les envoyés spéciaux, interroge les experts.

Proche de son public

Comme ses confrères de l'audiovisuel, le présentateur est totalement généraliste. Il ne peut privilégier un seul domaine. Il doit être capable d'apprécier l'ensemble des sujets pour les introduire à l'antenne. Il interviewe* toutes sortes de personnalités sur le plateau. C'est ce côté touche-à-tout qui le rapproche de

profession | vie publique | nouveautés

la sensibilité du public. Au nom de cette connaissance supposée des goûts du public, il va tenter d'imposer ses choix en ce qui concerne les faits*, les sons et les images, ainsi que sa propre hiérarchie des sujets. Certaines stations de radio ou de télévision délèguent totalement cette responsabilité au présentateur. Dans d'autres, au contraire, il doit défendre son point de vue face à un rédacteur en chef* ou un chef d'édition*.

Engagement personnel

Contrairement aux autres journalistes, le présentateur s'engage physiquement dans son travail. Il est présent en direct à l'antenne. Le public apprécie ou rejette sa voix, sa diction, ses traits, son aspect général. Il est souvent difficile de comprendre pourquoi un style, une manière de se comporter sont privilégiés par le public. Cela donne au présentateur le sentiment d'être personnellement responsable de son succès. C'est également pourquoi son poste est plus exposé. En période de crise, lorsque sont prolongés les moments de direct (le « live »), la moindre déconcentration, le plus petit dérapage ont des conséquences immédiates. Il y a là un facteur de stress, car cette pression s'exerce tous les jours sur une poignée de journalistes qui font le succès de leur chaîne. La notoriété peut abuser, le journaliste se laisser compromettre dans des relations intéressées avec ses sources* ou perdre petit à petit l'exigence de rigueur, négligeant sa culture générale, ne prenant plus la distance nécessaire.

Chaque jour en direct, devenu familier au public et parfois star, le présentateur personnalise notre lien avec le monde.

Les techniques de presse

Ordinateurs, satellites, réseaux informatiques sont désormais les outils des journalistes de la presse écrite. Ils travaillent plus vite, leurs tâches se diversifient et leurs responsabilités s'accroissent.

Révolution technique

Ordinateur (avec notamment les portables*), téléphone, satellites, scanners* (appareils traitant les images par ordinateur), toute une palette de moyens techniques est venue totalement renouveler ces dernières décennies la manière de travailler des journalistes de presse écrite. Envoyés aux oubliettes les stylos, machines à écrire, tables de montage. Dépassée l'obligation de recourir aux ouvriers du livre (typographes, correcteurs, monteurs). Certaines spécialisations au sein de la rédaction, comme les fonctions du secrétaire de rédaction*, sont remises en question. Les nouveaux outils font intervenir les journalistes dans la préparation de leurs articles, impliquant donc plus de polyvalence et davantage de responsabilité sur les textes qui seront publiés.

Rapidité et polyvalence

Chaque journaliste dispose d'un poste de travail informatique, correspondant à son type de publication et à sa fonction. Avec les portables*, les localiers ainsi que les correspondants à l'étranger peuvent écrire leurs articles à distance, puis les envoyer instantanément sur le système informatique du journal *via* Internet. L'ordinateur permet également d'organiser sa propre documentation ou d'interroger des banques de données et des services Internet dans le monde entier. Le journaliste peut recevoir des textes, des photographies ou des graphiques. Son texte étant directement écrit sur son poste de travail informatique, il le relit et

---

L'infographie, plutôt qu'un long développement

L'évolution de l'activité de l'industrie automobile sur plusieurs décennies, le déroulement d'un fait divers comme la description du processus de fabrication de l'A380 peuvent être synthétisés en une seule image. C'est l'infographie, dans laquelle le journaliste, à partir de son ordinateur, combine photographies, dessins, courbes, symboles et données chiffrées.

---

profession   vie publique   nouveautés

le vérifie lui-même. Il prépare ses titres, ses intertitres, ses chapeaux. Il peut fournir les codifications typographiques (type et corps des caractères, etc.). Si le logiciel le prévoit, il transfère et place son article dans la page, avec les illustrations. Le système informatique permet de préparer des articles et des pages du journal plusieurs jours à l'avance et de les conserver en mémoire. La souplesse de la mise en page assistée par ordinateur offre la possibilité d'intégrer un article moins d'une heure avant l'impression. Enfin, les rotatives offset, plus rapides, peuvent être décentralisées, diminuant ainsi le temps de transport des journaux grâce au fac-similé. L'heure d'impression est ainsi repoussée plus tard dans la nuit, permettant aux journalistes d'intégrer un gros fait divers, comme le résultat d'un match ou d'une élection. Il existe désormais un rapport nouveau au temps nécessaire à la fabrication d'un journal.

> **Reportage express**
> 21 heures : alerte pour un attentat. Voiture, prise de connaissance des faits*, témoignages. L'article est rédigé par le journaliste sur son portable et envoyé au système informatique du journal *via* Internet.

Nouvelles questions

Les scanners et systèmes de traitement des images et des graphiques ouvrent des voies prometteuses pour la réalisation d'illustrations, intégrant aussi bien des éléments réels que des documents de synthèse (infographie*). De nouvelles règles sont à définir, relatives à ces conditions de manipulation d'éléments du réel pour mieux expliquer ou attirer l'intérêt du lecteur. Globalement, les nouvelles techniques en presse écrite offrent une liberté et une possibilité d'autonomie dans le travail pour le journaliste qui étaient jusque-là totalement impensables. En contrepartie, les conditions de fabrication des journaux sont plus lourdes à assumer pour le journaliste. Il devient plus directement responsable de ce qui est publié.

> Les nouvelles techniques dans la presse écrite permettent au journaliste de travailler plus rapidement, dans n'importe quel lieu, mais elles alourdissent ses responsabilités.

Les innovations en radio-télévision

Magnétophones et caméras allégés, satellites transportant images et sons à travers toute la planète, montage et transformation des images facilités par la numérisation... ont modifié les activités du journaliste d'audiovisuel.

Images en direct

Marc, JRI envoyé spécial, descend sa Betacam de la voiture. À deux pas, des *moudjahidin* sont embusqués. Sa valise de transmission, parabole déployée, enverra ses images à la rédaction directement pour le *20 Heures*.

Plus léger et mobile

Les techniques de la radiotélévision n'ont cessé de se transformer depuis trois décennies, modifiant les conditions de présentation et de traitement de l'information, changeant la manière de travailler des journalistes. Au moment où les Français découvraient le « transistor », au début des années 1960, les journalistes de radio se voyaient confier un magnétophone révolutionnaire, le « Nagra ». Plus léger, facile d'utilisation, permettant des montages rapides, pouvant s'adapter au téléphone, il offrait une extraordinaire autonomie au reporter*. Depuis, il est possible de se rendre avec un magnétophone numérique et miniature sur des lieux de manifestations, d'aller sur les champs de bataille ou de s'installer pour une interview* à domicile. La combinaison avec le téléphone permet également au public d'intervenir en direct, introduisant une certaine interactivité.

La souplesse de la vidéo

Pour la télévision, la première grande rupture viendra de la vidéo, qui permet de diffuser instantanément les reportages, sans attendre le développement des films. D'autant que, petit à petit, les caméras s'allègent, le magnétoscope et le système de prise de son étant intégrés dans la fameuse « Betacam ». Le journaliste reporter d'image (JRI*) peut dès lors totalement

profession | vie publique | nouveautés

maîtriser les images et les sons, se mouvoir plus facilement sur le terrain*. Les satellites et la simplification des systèmes de transmission vers ceux-ci complètent le dispositif nécessaire à une véritable liberté d'action. La vidéo permet également un transfert plus simple en fichiers numériques lorsque le journaliste n'utilise pas directement

> ### Numérisation
>
> Comme tout message, l'image fixe ou animée peut être traduite en langage informatique, appelé aussi numérique. Dès lors, qu'il s'agisse de dessins, de photos ou de documents vidéo, ceux-ci peuvent être coupés, combinés, recolorisés à partir de l'ordinateur, au sein de la rédaction, mais également sur le terrain, par le JRI.

une caméra numérique ou une webcam. Dès lors, des images peuvent être modifiées, associées à d'autres. Images réelles ou de synthèse produites à partir de l'ordinateur. Le journaliste peut, afin de suggérer ou illustrer une action non filmée, la faire représenter à partir de combinaisons de documents d'archives ou d'images de synthèse.

Nouvelles images

Les conditions d'exercice du journalisme en radio-télévision modifient profondément le traitement de l'information : il n'est plus d'information forte sans diffusion de sons et surtout d'images la concernant. Cela confronte dès lors les journalistes à plusieurs questions. Doivent-ils concentrer leurs moyens dans cette course pour capter coûte que coûte des images, qui n'apportent pas toujours une compréhension supplémentaire de l'événement ? Faut-il accepter des images prétextes, qui ne font que suggérer l'ambiance, ou, pire, se résoudre à ne pas traiter un événement parce que l'on n'a pas d'images ? Faut-il accueillir les images d'amateurs proposées aux rédactions au travers d'Internet ? Enfin, les possibilités offertes par les traitements de synthèse poussent à produire des images fictives, illustrant une information vraie. Le risque de dérive devient permanent. Le public peut sans cesse être abusé. Pour le moins, il doit être prévenu de la nature réelle de l'image qu'il regarde.

> De nouveaux matériels permettent de transmettre les sons et les images instantanément et partout dans le monde.

Instantané

Le direct a toujours été synonyme, pour les journalistes de l'audiovisuel, d'information forte. Mais le direct permanent pratiqué aujourd'hui compromet le recul nécessaire vis-à-vis de l'événement.

L'apport des satellites

Les journalistes de radio et de télévision ont toujours attaché au direct une valeur particulière d'authenticité et de vérité. Jamais, selon eux, l'information audiovisuelle n'est plus forte et complète que dans ces conditions. Au départ, l'information n'était que directe, mais les potentialités du direct étaient peu utilisées. Les journalistes lisaient leurs textes scrupuleusement. Seuls les débats et causeries offraient un souffle un peu plus vivant. La retransmission d'un événement était rare, tant les moyens techniques étaient lourds et fragiles. Une longue période suivit, où les émissions d'information en direct étaient réalisées en studio et où les systèmes d'enregistrement permettaient de diffuser des sujets réalisés au préalable et montés. Puis le direct revint, mais cette fois facilité par les satellites, les systèmes de captation légers et les réseaux. Il devenait possible de saisir des événements en direct pendant toute leur durée.

EXCUSEZ-MOI, ON PEUT LA REFAIRE? Y'AVAIT LA PUB...

OH, TU M'ENTENDS?!

L'événement en « temps réel »

Dès lors, le direct a transformé la manière

de concevoir l'information, notamment dès que l'actualité s'emballe. Sur le terrain*, les reporters* sont amenés à prendre l'antenne et à la garder sur une période plus longue. Pour donner de la force à leurs images et à leurs sons, ils travaillent au plus près du déroulement de l'action elle-même, ce qui n'est pas sans risques. Les envoyés spéciaux peuvent être appelés en permanence par leur rédaction. Les présentateurs restent des heures durant à l'antenne. Les responsables d'édition sont enfin les véritables pilotes qui doivent assurer à chacun son passage à l'écran, au bon moment, ainsi que l'introduction d'éléments de toute nature et de toute origine. Ce mode de traitement a été largement inauguré par la chaîne américaine d'information en continu CNN. L'engagement personnel, physique, est beaucoup plus intense. Les journalistes subissent une très forte dose de stress, devant sans cesse veiller à éviter ou limiter les dérapages.

L'information en continu

Quel que soit le conflit, les télévisions promettent la « guerre en direct ». Les mouvements de troupes, les affrontements sont captés par les caméras et immédiatement transmis et diffusés. C'est le « live » inauguré par la chaîne CNN, de plus en plus disponible partout par le biais d'Internet.

Perte du recul

L'impression de vérité que suscite le direct n'est pas sans ambiguïtés. Alors que le journaliste est d'abord celui qui permet à chacun de trouver une distance vis-à-vis de l'actualité, ce recul n'existe pratiquement plus. Nous sommes contraints de réagir d'abord affectivement aux images et aux sons. Pendant le direct, le journaliste paraît s'être mis en retrait, derrière l'événement. Il a fait pourtant des choix d'angles*, de modes d'approche imperceptibles pour le public. Enfin, le direct implique un dispositif de traitement de l'information vulnérable. Le journaliste peut être manipulé par certains acteurs de l'actualité ou trompé par des messages ou des images véhiculés sur Internet. Il peut aussi s'aveugler en ne percevant pas la globalité d'une situation. C'est pourquoi aujourd'hui, le direct est l'objet de bien des débats et réflexions sur la manière de mieux le maîtriser.

La gestion du direct, désormais possible de partout, est délicate pour les journalistes, qui ont du mal à jouer leur rôle dans la transmission de l'événement au public.

Les journalistes et leurs entreprises

Le journaliste exerce son activité dans ou pour une entreprise. Il doit donc concilier les exigences de sa mission d'informer et les impératifs d'audience*, de vente, de rentabilité.

Salarié

Une recherche d'autonomie, doublée d'un certain individualisme de la profession, est à l'origine d'une relation contradictoire entre les journalistes et leurs entreprises. Beaucoup considèrent que leur situation mélange les statuts d'indépendant (*voir* pp. 46-47) et de salarié. Chacun s'accorde à reconnaître que l'entreprise de presse « n'est pas une entreprise comme les autres ». Son « produit » est un bien collectif, un facteur de cohésion sociale et de vie démocratique. En France, on a beaucoup hésité sur la forme juridique à adopter pour ces entreprises. En radio-télévision, le « service public » fut longtemps la règle. Il y eut également, au lendemain de la Seconde Guerre mondiale, un mouvement en faveur de statuts coopératifs pour les quotidiens. C'est toujours le cas par exemple, pour *L'Yonne républicaine*, à Auxerre. Dans quelques titres, dont *Le Monde*, la « société des rédacteurs » occupe une place centrale dans la structure de l'entreprise.

Logique économique

Aujourd'hui, l'entreprise privée est le modèle dominant. Ses méthodes s'imposent également au secteur public de l'audiovisuel. La question des rapports entre les propriétaires des entreprises, leurs gestionnaires et les rédactions se trouve sans cesse posée. En principe, les journalistes bénéficient d'une place à part. Dans les faits, il s'agit pour eux de défendre une notion d'intérêt public lié à l'information face aux impératifs de rentabilité. Ils doivent également faire face aux particularités

profession | vie publique | nouveautés

de l'entreprise, contradictoires avec une certaine forme de service qui est au cœur de la mission d'informer. La généralisation des techniques modernes de commercialisation (marketing) tend à faire prévaloir les attentes immédiates des « clients », lecteurs ou annonceurs* publicitaires. Or ces méthodes peuvent amener à sous-estimer l'intérêt d'événements ou de situations qui pourront avoir de grandes répercussions dans l'avenir. Les annonceurs souhaitent également voir les journalistes réaliser pour eux des « publicités rédactionnelles ». Il est essentiel pourtant que la séparation entre publicité et information soit claire pour le public.

Le poids des propriétaires

Les journalistes ne peuvent pourtant pas ignorer les impératifs économiques. Ils savent qu'ils seront d'autant plus indépendants que leurs entreprises sont rentables. Ils pourront alors refuser de céder aux pressions d'un annonceur. Par ailleurs, la qualité de l'information qu'ils vont produire dépend des moyens que l'entreprise peut leur donner. Une rédaction étoffée, disposant d'un matériel performant, coûte cher. Le problème se pose surtout pour les quotidiens dont les ressources sont attaquées, alors que leurs coûts, notamment rédactionnels, sont élevés. Le risque, face aux difficultés, serait de voir s'imposer une pure logique comptable, comme à *Libération*, la diminution de leurs effectifs rédactionnels entraînant un appauvrissement ou une banalisation de leur contenu. Mais, même bien gérés, les médias peuvent connaître des restrictions ou se voir rachetés par des groupes industriels (Bouygues pour TF1, Dassault pour *Le Figaro*, par exemple) ou financiers, surtout préoccupés d'influence ou de stricte rentabilité. Les journalistes doivent alors agir collectivement, afin de préserver le pluralisme de l'information et obtenir la liberté d'enquêter* et de rapporter, y compris sur les groupes qui sont propriétaires de leur entreprise. Dans ce domaine, rien n'est jamais définitivement acquis.

Le journaliste est le salarié d'une entreprise qui connaît des impératifs économiques et commerciaux.

Les pigistes

**Les pigistes sont des journalistes
qui collaborent à plusieurs entreprises.
Indépendants, ils sont obligés de travailler
davantage et dans des conditions souvent
plus difficiles pour assurer leurs revenus.**

À la fois indépendants et salariés

Le journaliste peut exercer son activité en indépendant, proposant ses articles à différents journaux, répondant aux différentes demandes des médias. Appelé pigiste, il est juridiquement considéré comme le salarié des commanditaires de ses papiers*, photos, sujets de télévision, etc. Les « vedettes », éditorialistes, chroniqueurs... ou les grands spécialistes, très recherchés pour des contributions, ici dans un quotidien régional, là dans une chaîne de télévision, se font plutôt appeler « free lance ». La très grande majorité des pigistes ne travaille que sous ce statut et assure une activité de reporter*, enquêteur*, spécialiste auprès de magazines... Les journaux ont toujours eu recours à des collaborations extérieures de savants, avocats, médecins, hommes politiques, etc., les journalistes professionnels vivant d'ailleurs mal la concurrence avec ces « amateurs ». Aujourd'hui le nombre des pigistes croît rapidement (18,8 %), les entreprises y trouvant souplesse et économies de salaires.

Pigiste à Beyrouth

Gilles est à Beyrouth, seul avec sa caméra. Nuit et jour, les événements se précipitent. Il doit choisir. Les images tournées, il réalise rapidement son commentaire, monte son sujet et le transmet à son agence, qui le propose aux télévisions.

Plus seuls

En principe, un pigiste fait le même travail qu'un journaliste titulaire au sein d'une rédaction. Il peut se voir proposer de s'installer dans les locaux du commanditaire. Il a souvent accès à la documentation et à la photothèque de l'entreprise.

profession   vie publique   nouveautés

Ordinateurs, magnétophones et caméras lui sont parfois confiés. Toutefois, la tendance qui s'affirme est de le considérer davantage comme un indépendant ayant à sa charge d'acheter ou louer son matériel, travaillant chez lui, se « débrouillant » pour accéder à des archives, des rapports, des photos, etc. À chaque fois que c'est possible, leurs employeurs préfèrent leur proposer une rémunération forfaitaire pour un reportage ou le traitement d'un dossier. À eux de gérer au mieux leur temps et de faire en sorte de prévoir avec précision leurs frais de déplacement, achats de documents, etc.

> **Loi Cressard**
>
> En 1974, la loi Cressard a assimilé les pigistes aux journalistes titulaires. Ils disposent comme eux de la carte de presse, la loi leur garantissant les mêmes droits (salaire, vacances, conditions de licenciement, etc.).

Fragilité

Dans des domaines comme celui des magazines spécialisés, pour les reportages locaux ou à l'étranger en télévision, l'appel aux pigistes est devenu systématique. Or cela ne va pas sans poser des questions nouvelles pour le traitement de l'information. Les pigistes, obligés de travailler davantage pour assurer leurs revenus, doivent faire plus vite, aux dépens parfois de certaines vérifications. Ils bénéficient moins facilement du soutien de la documentation et de spécialistes. Devant tout prendre en charge, y compris parfois l'illustration et la mise en page, cette polyvalence les confronte à une plus ou moins bonne maîtrise de chacune de ces spécialités. Toujours seuls, ils sont plus vulnérables et fragiles face aux pressions des grands acteurs politiques ou économiques. Enfin les rédactions en chef ont moins de moyens pour vérifier la qualité et la justesse des informations qui leur sont ainsi fournies. Ressentant eux-mêmes cette fragilité, nombre de pigistes sont portés aujourd'hui à se regrouper en créant de petites équipes sous forme d'agences*.

> Indépendants, souvent isolés, de plus en plus nombreux, les pigistes sont des journalistes au statut plus vulnérable.

Journalistes et communication

Les journalistes ont affaire aux services de communication des entreprises ou des organisations politiques ou sociales. Leur travail peut en être affecté, avec un risque de perte d'indépendance.

Confusion des genres

Communicants et journalistes peuvent sortir des mêmes écoles. Leurs compétences et leurs connaissances peuvent être comparables. C'est dire que leur spécificité réside dans des rôles différents : les premiers sont au service d'entreprises ou d'institutions, alors que les seconds sont au service de l'information et du public auquel celle-ci est destinée.

Une image favorable

Les entreprises, puis les grandes institutions (administrations, ministères) et enfin les partis, les grandes associations, etc., ont eu progressivement l'objectif de maîtriser l'information les concernant. Ils ont créé des équipes de spécialistes des relations avec les médias : les attachés de presse et directeurs de la communication. Ceux-ci connaissent parfaitement les journalistes, leur manière de travailler et le fonctionnement des médias. Plutôt que d'attendre de se voir traiter dans des termes plus ou moins favorables lorsqu'ils se retrouvent au centre de l'actualité, ils s'emploient à créer une image favorable de l'organisme pour lequel ils travaillent. Lorsque celui-ci désire faire passer un message, c'est également à eux d'agir pour qu'il soit largement diffusé par les journaux, les radios ou les télévisions.

Toute une gamme de moyens

Les responsables de communication multiplient donc les « communiqués » de presse envoyés dans les rédactions. Pour donner plus de retentissement à une décision ou une initiative, ils organisent des conférences de presse où se trouvent conviés l'ensemble des journalistes spécialisés dans le domaine. Ceux-ci peuvent alors interroger les dirigeants de l'organisme en question. Pour le lancement d'un nouveau produit (un parfum, une automobile, un ordinateur, etc.), ils proposent des petits déjeuners, des déjeuners ou des voyages de presse, au cours desquels les journalistes peuvent voir, toucher et ont le loisir de discuter avec les responsables ou les créateurs des produits. D'une manière générale, tous les éléments conçus comme étant nécessaires à la préparation d'articles ou de sujets pour l'audiovisuel sont proposés dans des dossiers de presse. Ces derniers comportent les chiffres, les tableaux, les croquis, les schémas ou les photographies concernant l'objet de la communication. Aujourd'hui, DVD* et sites Internet des entreprises viennent compléter la gamme des outils plus traditionnels de la communication.

Perte d'initiative

Avec l'évolution de la communication, les journalistes voient leur activité profondément transformée. Là où ils devaient solliciter des entretiens, tenter d'obtenir des données, ils se trouvent submergés par une avalanche d'éléments plus ou moins pertinents. Le déroulement de leur journée est scandé par le rythme des conférences de presse, déjeuners et présentations. Apparemment, leur travail en est facilité. En réalité, il existe un risque d'asphyxie des journalistes, qui doivent trier une masse de documents. Il y a surtout menace de perte d'initiative du journaliste, qui décide de moins en moins des sujets à traiter. Lorsque se produit un accident ou une crise, le phénomène est criant : les services de communication sont préparés à ces éventualités. Ils se proposent de guider les journalistes, leur fournissent des explications, un diagnostic. Faute de vigilance ou de temps, les journalistes peuvent alors passer à côté d'aspects capitaux concernant l'information qu'ils auraient dû rapporter.

> Entreprises et organismes divers ont recours à la communication pour faire passer l'information qu'ils désirent auprès des journalistes.

Communication d'urgence

L'annonce du déraillement a été donnée par le service de communication. À peine sur place, les reporters* sont pris en charge par une attachée de presse qui prévient de l'arrivée du directeur général. Premières déclarations...

Les journalistes contestés

Parfois traités comme des vedettes,
les journalistes sont également critiqués
sur leur manière de travailler
et leur comportement personnel.

Mauvaise presse

Traditionnellement, en France, l'image du journaliste est contradictoire. D'un côté, la profession a toujours attiré des jeunes gens brillants et instruits : écrivains renommés (Honoré de Balzac, Guy de Maupassant, Émile Zola, Joseph Kessel), hommes politiques destinés aux plus hautes fonctions (Jean Jaurès, Aristide Briand, Léon Blum). D'un autre côté, la littérature fourmille de personnages de journalistes arrivistes, intrigants et sans principes (Lucien de Rubempré ou « Bel Ami »). Ces dernières années, nombre de sondages révèlent que l'opinion* publique conteste sur bien des points le travail ou le comportement des journalistes : 58 % des adolescents ne les trouvent pas honnêtes, 74 % des Français ne les croient pas indépendants des pressions financières et 68 % des pressions politiques (baromètre annuel TNS Sofres – *La Croix*, *Le Point*). Près d'une personne sur deux ne pense pas que les choses se sont passées comme les médias l'ont relaté. La même proportion du public se dit en désaccord avec le traitement des questions européennes, de la crise économique et du chômage, de l'environnement et du cadre de vie, etc.

Dérapages

Ces dernières années ont en effet été l'occasion de constater une multiplicité de dérapages : en décembre 1989, ce fut le faux charnier de Timisoara, en Roumanie. En 1991, la promesse discutable de « la guerre en direct » dans le Golfe se transforme en une ronde d'envoyés spéciaux, d'émissions de plateau interminables, le tout

Manipulation

En cette veille de Noël, les écrans de télévision révèlent un macabre alignement de cadavres. Là-bas, à Timisoara, en Roumanie, il y aurait des milliers de morts. Pris à leur propre piège, les journalistes étaient en fait victimes d'une pure mise en scène.

profession   vie publique   nouveautés

entrecoupé d'images peu informatives et d'une origine douteuse. Lorsque, le 1er mai 1993, Pierre Bérégovoy, ancien Premier ministre, se suicide, les journalistes sont accusés d'acharnement et traités de « *chiens* » par le président de la République, François Mitterrand. Patrick Poivre d'Arvor, présentateur vedette de TF1, se verra accusé d'avoir « *bidonné** » une interview* de Fidel Castro ; par ailleurs, il a été condamné par la justice pour « *complicité de recel d'abus de biens sociaux* » (utilisation illicite des biens d'une entreprise). De leur côté, des magazines de France 2 et France 3 seront mis en cause pour avoir présenté un faux commerce d'armes dans une cité de banlieue ou une arrestation de trafiquants de drogue qui n'était qu'un exercice de la gendarmerie. Plusieurs reproches touchent la profession : la recherche du spectaculaire, la superficialité, un excès de pouvoir parfois teinté d'une tendance à l'acharnement, ainsi que la mise en cause de l'honnêteté de journalistes, soupçonnés de profiter de certains avantages en argent ou en nature.

Manque de fiabilité

Dans une société dont le niveau d'instruction a formidablement progressé, le public est porté à s'interroger sur la légitimité de ceux qui l'informent. Leur compétence et leur formation sont-elles suffisantes ? Ceux qui exercent des professions assez proches, les intellectuels, sont les plus sévères à cet égard. Pour eux, les journalistes manquent de culture générale, ils traitent de sujets très spécialisés, complexes, sans les comprendre suffisamment sur le fond. Ils travaillent trop vite, n'étudient pas assez sérieusement les dossiers qu'ils abordent. Ils ne sont pas assez curieux et suivent la mode, parlant en même temps des mêmes choses, délaissant des questions plus importantes.
Au nom de la défense de leur indépendance, les journalistes n'évitent-ils pas d'ailleurs de s'interroger sur leurs propres obligations, contestant toute possibilité de les soumettre à une quelconque autorité ?

L'image des journalistes n'est pas très bonne auprès du public, méfiant envers les informations données par les médias.

La déontologie des journalistes

La responsabilité de ceux qui exercent le métier de journaliste est engagée en permanence. La profession est d'ailleurs réglementée par un ensemble de textes qui constituent sa déontologie.

Charte et morale personnelle

Dans une démocratie, les journalistes constituent une profession à haute responsabilité. La loi ne saurait tracer que quelques lignes jaunes à ne franchir en aucun cas. Il reste donc à chacun une large marge d'appréciation concernant leur manière de travailler et les termes dans lesquels ils doivent traiter une information. Ces règles internes à la profession constituent la déontologie*. En France, c'est le Syndicat des journalistes tout juste naissant, en 1918, qui rédigea une charte en treize points qui reste le texte de référence dans ce domaine. Au-delà de la déontologie, les journalistes ont à s'interroger sur les questions qu'ils abordent et les répercussions de ce qu'ils publient et diffusent. Il s'agit là d'une réflexion d'éthique* professionnelle, c'est-à-dire de morale.

Des situations évolutives

Le journalisme étant en perpétuelle évolution, sa déontologie ne saurait rester figée. L'existence d'une charte est importante, parce qu'elle évoque un ensemble de cas généraux. Il reste, à chaque période et pour les grandes formes de journalisme, à préciser et adapter la déontologie aux conditions concrètes. Dans l'audiovisuel, par exemple, le développement du direct nécessite de préciser comment les journalistes peuvent limiter les risques de déformation de faits* qu'ils ne peuvent, par définition, avoir vérifiés

profession   vie publique   nouveautés

préalablement. Sur le plan local, l'attention doit être renforcée concernant la protection de la vie privée de ceux qui se voient projetés dans l'actualité. Les transformations de l'économie des médias, des formes de la publicité, de la communication, appellent à des précautions supplémentaires... Cela d'autant plus qu'en France les journalistes ne sont soumis à aucun conseil, comité d'éthique ou autorité professionnelle.

Charte des devoirs professionnels des journalistes français

Un journaliste digne de ce nom prend la responsabilité de tous ses écrits, même anonymes :

• tient la calomnie, les accusations sans preuves, l'altération des documents, la déformation des faits*, le mensonge, pour les plus graves fautes professionnelles ;

• ne reconnaît que la juridiction de ses pairs, souveraine en matière d'honneur professionnel ;

• n'accepte que des missions compatibles avec la dignité professionnelle ;

• s'interdit d'invoquer un titre ou une qualité imaginaires, d'user de moyens déloyaux pour obtenir une information ou surprendre la bonne foi de quiconque ;

• ne touche pas d'argent dans un service public ou une entreprise privée où sa qualité de journaliste, ses influences, ses relations, seraient susceptibles d'être exploités ;

• ne signe pas de son nom des articles de réclame commerciale ou financière ;

• ne commet aucun plagiat, cite les confrères dont il reproduit un texte quelconque ;

• ne sollicite pas la place d'un confrère, ni ne provoque son renvoi en offrant de travailler à des conditions inférieures ;

• garde le secret professionnel ;

• n'use pas de la liberté de la presse dans une intention intéressée ;

• revendique la liberté de publier honnêtement ses informations ;

• tient le scrupule et le souci de la justice pour des règles premières ;

• ne confond pas son rôle avec celui du policier.

Les dispositions concernant les journalistes doivent évoluer en fonction des changements intervenus dans la profession.

Le contrôle

Une déontologie est-elle efficace si elle n'est pas sanctionnée par une forme de contrôle ? Envisager un arbitrage demande de définir la structure la plus légitime pour statuer dans un domaine aussi sensible.

Carton jaune

Début 1992, un groupe d'avocats et de magistrats créaient « Carton jaune ». Il s'agissait alors d'agir en justice pour faire sanctionner des fautes dans le traitement de l'information. Sa première action fut de porter plainte contre Patrick Poivre d'Arvor et TF1 à propos d'une « fausse interview de Fidel Castro » diffusée quelques semaines plus tôt.

L'arbitrage

Les journalistes se sont dotés d'une déontologie*. Ils partagent pour beaucoup d'entre eux des principes de morale professionnelle. Ils se préoccupent de l'évolution des règles et comportements professionnels née des mutations des médias et de l'information. Or le public doute de la qualité et de la fiabilité de leur travail. En certaines circonstances, une partie de l'opinion* conteste les manières de procéder d'une rédaction, ou, par amalgame, de la profession dans son ensemble. Régulièrement, des personnalités du monde politique, économique, culturel s'insurgent contre ce qu'ils qualifient de dérapages. La question de l'arbitrage dans ce domaine surgit dès lors qu'au nom de la liberté d'informer les journalistes ne reconnaissent que « la juridiction de leurs pairs » (Charte des devoirs professionnels des journalistes français).

Les autorités

Ressentant cette interrogation inévitable de la société à leur égard, les journalistes français, dès 1918, proposèrent leur propre formule. L'arbitre sera la profession elle-même, ou tout du moins la « commission de discipline » de son syndicat. Progressivement, cette revendication de l'autocontrôle se mua en souhait de voir reconnaître par la loi l'existence d'un « ordre des journalistes » qui traiterait les litiges et les fautes professionnelles. Lors du vote de la loi de 1935 sur le statut de la profession, le Syndicat des journalistes (*voir* pp. 56-57) crut pouvoir crier victoire : « L'Ordre

profession   vie publique   nouveautés

des journalistes est créé », titra son journal. C'était en fait une interprétation excessive. Pendant la Seconde Guerre mondiale, le régime collaborationniste du maréchal Pétain, qui tenta d'instaurer partout de tels ordres, contribua au rejet d'une telle formule après la Libération. La question restait donc entière. Quarante ans plus tard, l'audiovisuel se vit doté d'une autorité administrative de « régulation », le Conseil supérieur de l'audiovisuel. Et si ses « sages » indépendants, chargés de surveiller les entreprises, les programmes, etc., se voyaient chargés de l'information ? Ou peut-être faut-il concevoir une autorité mixte, avec des représentants du public, des grandes organisations intellectuelles, morales, sur le modèle des conseils de presse.

Débat public

Dans une société qui a mûri dans son rapport aux médias, le meilleur garde-fou pourrait être que s'instaure un débat public à propos du traitement de l'information. De telles structures voient le jour, à l'image de l'Observatoire français des médias ou des entretiens de l'information.

Le rôle des tribunaux

De telles autorités ou structures spécialisées risquent de manquer de la légitimité ou de l'expérience de procédures contradictoires publiques. Pourquoi ne pas s'en remettre aux tribunaux ? De plus en plus souvent, les juges se voient d'ailleurs saisis. C'est ce que fit l'association Carton jaune à propos de la « fausse interview* de Fidel Castro ». La loi est pourtant inadaptée, car le juge ne peut se prononcer que pour dire si l'information a blessé, offensé, nuit à une personne mise en cause. Faut-il étendre leur rôle, ou faut-il créer une autre forme de juridiction ? Telle est la question sur laquelle les journalistes, les pouvoirs publics et toute la société doivent s'interroger.

Qui doit sanctionner les fautes commises par les journalistes en violation de leur propre déontologie ou de la loi ?

Syndicats, associations, clubs...

Individualistes, amenés à affirmer leur autonomie vis-à-vis de leurs directions, les journalistes se sont donné des structures – syndicats, associations, clubs de la presse, sociétés des rédacteurs – leur permettant de se faire entendre.

Les syndicats

Très tôt, les journalistes ont été confrontés à l'instabilité de leur statut et aux conditions dans lesquelles ils pouvaient faire valoir leur point de vue face aux patrons de presse. Ils créèrent à cet effet des associations qui mirent en place les premières structures d'entraide. Ce n'est qu'en 1918 que naquit de ce mouvement associatif le Syndicat des journalistes. Outre la mise au point du premier texte déontologique*, la Charte des devoirs professionnels des journalistes français, il devait s'employer à obtenir le vote d'une loi protégeant la profession, ce qui fut fait en 1935 avec l'adoption de la loi Brachard. Après la Seconde Guerre mondiale, l'unité syndicale derrière le Syndicat national des journalistes volait en éclats. Des syndicats CFDT, CGT, FO, CGC, etc. des journalistes voyaient le jour. Aujourd'hui, la profession connaît, comme beaucoup d'autres, un recul sensible de l'engagement syndical.

Profession pigiste

L'isolement et la singularité d'une pratique solitaire du journalisme constituent la motivation de la création de Profession pigiste. Cette jeune association offre tout autant un cadre de rencontre et de réflexion que des conseils et des moyens pour évoluer au sein de la profession.

Les associations et clubs

Sans qu'il y ait un rapport de cause à effet, diverses formes d'associations connaissent une sorte de renaissance. Chaque catégorie ou spécialité parmi les journalistes (rédacteurs en chef*, presse présidentielle, parlementaire, environnement,

profession   vie publique   nouveautés

jeunes, agriculture, scientifique, etc...) dispose d'associations qui sont autant de lieux d'échanges et de réflexion. Dans les principales villes sont nés des clubs de la presse où les journalistes se retrouvent avec d'autres professionnels des médias et de la communication. Là aussi la vocation est la réflexion et la discussion, y compris avec le public ou les sources*, conviés à diverses initiatives. Parmi les associations, Reporters sans frontières (RSF), née à la fin des années 1980, se propose de défendre les journalistes menacés ou emprisonnés à travers le monde. Les pigistes sont aujourd'hui très présents et actifs dans ces différentes formes d'associations qui leur permettent de rejoindre la collectivité professionnelle, alors qu'ils ne bénéficient pas de l'insertion dans une rédaction.

La liberté de la presse dans le monde

Chaque année RSF publie le classement de tous les pays de la planète, du point de vue du respect de la liberté de l'information. Au-delà des actions ponctuelles en faveur d'un journaliste enlevé ou menacé, il s'agit d'exercer une pression internationale sur les États les plus dangereux pour l'exercice du journalisme.

Sociétés de journalistes

Dans les années 1960, au sein des rédactions de grands quotidiens nationaux et régionaux, des journalistes ont désiré exprimer leur propre point de vue sur la marche de leur entreprise face à leur direction. Ils ont créé des sociétés de rédacteurs, dont certaines, comme au *Monde* ou à *Sud-Ouest*, obtinrent de participer au capital du journal. À l'occasion de la vente de leur titre, les sociétés de rédacteurs du *Figaro* et de *France-Soir* tentèrent de s'opposer, d'ailleurs sans succès, à ces transactions. Le déclin de ces associations paraissait inéluctable jusqu'à ces dernières années. Or, dans le contexte d'une logique d'entreprise basée sur les résultats financiers, un sursaut du mouvement des sociétés de rédacteurs se produit. Des sociétés sont apparues dans les radios et les télévisions, privées et publiques. Face au déclin syndical, elles se présentent comme l'expression de la volonté collective des journalistes de faire entendre la voix de leur profession face à la direction et aux autres catégories de personnel.

Les journalistes font entendre leur point de vue par l'intermédiaire de différentes formes d'associations.

Glossaire

Agence : les agences de presse,
qui ont des correspondants
dans le monde entier, fournissent
des informations à tous les médias.

Angle : axe de traitement d'un sujet.

Annonceur : entreprise ou organisme
qui fait passer ses messages publicitaires
dans les différents médias, qualifiés
alors de « supports ».

Audience : évaluation du public
d'un média à un moment donné.
En télévision, celle-ci est
comptabilisée par l'audimat.

Bidonner : tronquer, inventer
une information.

Censure : action visant à un contrôle
de l'information par les pouvoirs
publics, selon des critères politiques,
idéologiques ou moraux.

Chaude : information traitant
d'un fait* qui vient ou est en train
de se produire.

Chef d'édition : responsable de l'un
des journaux télévisés de la journée.

Déontologie : ensemble des règles
que se donne une profession.

Dépêche : forme particulière d'article
réalisé par les agences* d'information,
quasiment en instantané. Elles servent
de base aux articles et sujets traités
par les médias.

Diffamation : préjudice porté
à une personne par une information,
même exacte.

DVD : disque lisible sur ordinateur,
contenant des sons et des images.

Éditorial : genre particulier d'article
qui propose une synthèse et une analyse
d'un événement ou de l'actualité
d'un jour ou d'une période.

Enquête journalistique : démarche
prolongée qui consiste à rechercher les
différentes dimensions d'un événement,
y compris en accédant à des dimensions
cachées de celui-ci.

Éthique : principes et comportements
constitutifs de la morale d'un groupe
ou d'une profession.

Fait : événement, phénomène saisi dans
notre quotidien, parce que significatif
ou méritant notre attention. Matière
de base du journaliste.

Infographie : traitement d'une
information sous la forme de dessins,

profession   vie publique   nouveautés

de graphiques, de tableaux, à l'aide
d'un ordinateur.

Interview : mode d'interrogation
d'une personnalité ou de témoins d'un
événement. Se dit d'une forme d'article
retranscrivant les réponses d'une personne interrogée par un journaliste.

Investigation : pratique journalistique
d'enquête* approfondie sur les grands
sujets de politique, d'économie
et de société.

JRI : journaliste reporter d'image,
chargé de traiter l'aspect visuel
d'un sujet en télévision.

Opinion, opinion publique : attitudes,
croyances partagées par une large
partie des membres d'une société.

Papier : article.

Portable : micro-ordinateur
ou téléphone légers, transportables.

Rédacteur en chef : journaliste
responsable de la rédaction.
Il peut être seul ou épaulé par
des adjoints. Les grandes rédactions
ont souvent à leur tête un directeur de
la rédaction avec, à ses côtés, plusieurs
rédacteurs en chef pour chacun
des grands domaines d'information.

Reporter : journaliste chargé
d'aller chercher l'information
sur le terrain*.

Scanner : appareil codant en données
chiffrées les photos et illustrations
et permettant leur utilisation directe
par un ordinateur.

Secrétaire de rédaction : journaliste
chargé de la préparation finale
de l'article, de la vérification du style,
de la création des titres et intertitres,
du choix des caractères,
des illustrations, etc.

Source : interlocuteur sollicité
par les journalistes pour traiter
une information.

Terrain : lieu, milieu où se déroule
l'actualité, utilisé par opposition
au travail sur dépêches*, documents,
au sein même de la rédaction.

Une : première page d'un journal.

Bibliographie

ASSOULINE (Pierre), *Albert Londres : vie et mort d'un grand reporter, 1884-1932*, coll. « Folio », Gallimard, 1990.

CFPJ-ESJ, *Les Droits et Devoirs du journaliste : textes essentiels*, éditions du CFPJ, 1995.

CHARON (Jean-Marie), *Les Médias en France*, coll. « Repères », La Découverte, 2003.

COLLECTIF, *Les Journalistes français à l'aube de l'an 2000 : profils et parcours*, éditions Panthéon-Assas, 2001.

DA LAGE (Olivier), *Obtenir sa carte de presse et la conserver*, coll. « Guides Légipresse », Victoires Éditions, 2003.

DELPORTE (Christian), *Histoire du journalisme et des journalistes en France*, coll. « Que sais-je ? », PUF, 1995.

FERENCZI (Thomas), *Le journalisme*, coll. « Que sais-je ? », PUF, 2005.

MARCHETTI (Dominique) et RUELLAN (Denis), *Devenir journalistes : sociologie de l'entrée sur le marché du travail*, La Documentation française, 2001.

Adresses utiles

LES ÉCOLES RECONNUES

CELSA
Master information et communication
option journalisme
77, rue de Villiers
92200 Neuilly-sur-Seine
Tél. : 01 46 43 76 76
Fax : 01 47 45 66 04

Centre de formation
des journalistes (CFJ)
35, rue du Louvre
75002 Paris
Tél. : 01 44 82 20 00
Fax : 01 44 82 20 09

Centre universitaire
d'enseignement
du journalisme
de Strasbourg (CUEJ)
11, rue du Maréchal-Juin
BP 13, 67043 Strasbourg Cedex
Tél. : 03 88 14 45 34
Fax : 03 88 14 45 35

École de journalisme
et de communication
de la Méditerranée (EJCM)
21, rue Virgile-Marron
13392 Marseille Cedex 05
Tél. : 04 91 24 32 00
Fax : 04 91 48 73 59

profession   vie publique   nouveautés

École de journalisme de Toulouse
31, rue de la Fonderie
31000 Toulouse
Tél. : 05 62 26 54 19
Fax : 05 61 53 50 97

**École supérieure de journalisme
de Lille (ESJ)**
50, rue Gauthier-de-Châtillon
59046 Lille Cedex
Tél. : 03 20 30 44 00
Fax : 03 20 30 44 95

**Institut de la communication
et des médias (ICM)**
Université Stendhal-ICM
11, avenue du 8-mai-1945
38130 Échirolles
Tél. : 04 56 52 87 41

Institut français de presse (IFP)
Université Panthéon-Assas
4, rue Blaise-Desgoffe
75006 Paris
Tél. : 01 44 41 57 93
Fax : 01 44 41 57 94

Institut pratique du journalisme (IPJ)
24, rue Saint-Georges
75320 Paris Cedex 9
Tél. : 01 72 74 80 00
Fax : 01 72 74 80 01

**Institut de journalisme de Bordeaux
Aquitaine (IJBA)**
1, rue Jacques-Ellul
33080 Bordeaux Cedex
Tél. : 05 57 12 20 20
Fax : 05 57 12 20 81

**IUT de Lannion
DUT option journalisme**
BP 30219
rue Édouard-Branly
22302 Lannion Cedex
Tél. : 02 96 48 43 34

**IUT de Tours
DUT option journalisme**
Département information-
communication
29, rue Pont-Volant
37023 Tours Cedex
Tél. : 02 47 36 66 00
Fax : 02 47 36 76 18

ORGANISMES DIVERS

**Centre de liaison de l'enseignement
et des médias d'information (CLEMI)**
391 bis, rue de Vaugirard
75015 Paris
Tél. : 01 53 68 71 00
Fax : 01 42 50 16 82

**Commission de la carte d'identité
des journalistes professionnels**
221, rue La Fayette
75010 Paris
Tél. : 01 40 34 17 17
Fax : 01 40 34 03 49

**Conseil supérieur
de l'audiovisuel (CSA)**
Tour Mirabeau
39-43, quai André-Citroën
75739 Paris Cedex 15
Tél. : 01 40 58 38 00
Fax : 01 45 79 00 06

Reporters sans frontières
5, rue Geoffroy-Marie
75009 Paris
Tél. : 01 44 83 84 84

Index

Le numéro de renvoi correspond à la double page.

profession   vie publique   nouveautés

Dans la collection *Les Essentiels Milan*
derniers titres parus :

Responsable éditorial
Bernard Garaude
Directeur de collection
Dominique Auzel
Suivi éditorial
Carine Panis
Correction-Révision
Élisée Georgev
Iconographie
Anne-Sophie Hedan
Maquette
Pascale Darrigrand
Couverture
Bruno Douin
Fabrication
Magali Martin

Illustrations
Jérôme Sié

© 2007 Éditions MILAN
300, rue Léon-Joulin,
31101 Toulouse Cedex 9 France

Droits de traduction
et de reproduction réservés pour
tous les pays. Toute reproduction,
même partielle, de cet ouvrage
est interdite.
Loi 49.956 du 16.07.1949

ISBN : 978-2-7459-2598-5
D. L. janvier 2007
Aubin Imprimeur, 86240 Ligugé
Imprimé en France

LE JOURNALISME
Nouvelle édition
JEAN-MARIE CHARON

LES ESSENTIELS MILAN

Sommaire

Les mots suivis d'un astérisque (*) sont expliqués dans le glossaire.